le 24.V.2012

À Diane,

" *Plus vite !* "

Un essai sans pitié sur
les temps modernes abandonnés.

Amitiés,

Guillaume Poitrinal

Plus vite !

La France malade
de son temps

BERNARD GRASSET
PARIS

ISBN 978-2-246-79991-7

*À Sophie, Élise, Jacques
et Martin, ma famille.*

*À Jean-Louis, Léon
et Michael, mes maîtres.*

Introduction

A PRIORI, tout va trop vite. Parce qu'il s'est grisé de vitesse, notre monde s'est emballé. Il tourne sur lui-même à une cadence infernale. Le grand manège de la vie donne le tournis. Il semble ne jamais devoir s'arrêter. Et alors qu'il va déjà trop vite, le monde accélère encore. Obnubilés par le profit, submergés de produits démodés avant d'être usés, piégés par le culte du court terme, nous sommes étranglés par une société de consommation et une culture du rendement anxiogènes et dépourvues de sens. Nous sommes tous des petits Sisyphes, condamnés, non plus à hisser inlassablement nos rochers en haut d'une colline, mais à courir perpétuellement après notre destinée, à nous épuiser à ne vouloir surtout jamais perdre notre temps. Le monde nous est offert en un clic, mais nous n'avons plus le temps d'en jouir, trop occupés que nous sommes à vouloir densifier notre vie plutôt qu'à en profiter. Triste époque !

Voilà ce qu'on peut lire et entendre, ici ou là. C'est la thèse du moment qu'il est de bon ton de soutenir, des colonnes de journaux aux colloques internationaux. *L'Éloge de la lenteur*[1] de Carl Honoré a été un succès planétaire, Jean-Louis Servan-Schreiber a écrit récemment un livre séduisant intitulé *Trop vite !*[2], Gilles Finchelstein a publié un brillant essai, *La Dictature de l'urgence*[3]. Parler du temps, c'est faire l'éloge de la décélération ; valoriser le *slow* et fustiger le *fast*. Prendre son temps, c'est prendre du bon temps. Qu'il serait doux de pouvoir ralentir dans un univers qui accélère !

À l'échelon individuel, la formule fonctionne. Chacun sent bien confusément l'intérêt de s'interroger sur le rythme de sa vie personnelle, combattre le stress que l'on s'impose ou que l'on nous impose, notamment dans les grandes villes. Les « conseillers

1. Carl Honoré, *L'Éloge de la lenteur*, Marabout, 2005.
2. Jean-Louis Servan-Schreiber, *Trop vite ! Pourquoi nous sommes prisonniers du court terme*, Albin Michel, 2010.
3. Gilles Finchelstein, *La Dictature de l'urgence*, Fayard, 2011.

en emploi du temps » et autres « aides de vie dans la gestion du temps » font florès. La philosophie de la lenteur a ses vertus que l'on ne saurait ignorer. Gandhi avait coutume de dire : « Nous avons mieux à faire de la vie que d'en accélérer le rythme. »

Mesurée à l'échelle collective, celle d'un pays, c'est évidemment une tout autre affaire. Qui peut souhaiter que la France, engagée dans la régate des nations, confrontée aux défis de la crise, de la mondialisation et du changement climatique, ralentisse ? Serait-elle ainsi devenue la tortue de la fable qui se « hâte avec lenteur » ?

Or, malheureusement, la France ralentit. Elle ralentit dans l'absolu et en relatif. Chez nous, construire un pont, un musée, une médiathèque, un centre commercial, une tour de bureau, un cinéma, une école, un commissariat ou même une étable, prendra à la fois plus de temps qu'il y a quinze, trente ou cinquante ans et, surtout, plus de temps que chez nos voisins ou concurrents internationaux. Et l'on ne parle pas ici que de la Chine et de son tempo frénétique...

Sans s'en rendre compte, la France avance moins vite. Tout y est devenu très long. Trop long. Réalisation d'équipements structurants, mobilité sociale, circulation du capital dans le tissu économique réel. Presque tout ralentit. La France entre dans une grande hibernation. Et, curieusement, ce rapport au temps ne paraît intéresser personne ou presque, hormis pour la question des 35 heures, qui n'est du reste qu'un épiphénomène de ce ralentissement collectif.

Il n'est que de se plonger dans les programmes des candidats à la présidentielle de 2012 pour s'en convaincre : aucun d'entre eux n'a inscrit la question de la maîtrise du temps de notre action collective (publique ou privée) à son programme. Dans ces ambitions pour la France, on parle de tout : la recherche, la formation, la sécurité, la défense de l'industrie, l'emploi, la fiscalité, etc. Pas un mot sur notre rythme collectif, rien sur ce qui pourrait faire tourner la machine un peu plus vite, à moindre coût et à grand bénéfice. Cette question est éludée purement et simplement. Pour nos élus, sans doute, évacuer la problématique, c'est déjà la résoudre.

Pourtant, en cette période que la croissance a désertée, il serait grand temps justement de regarder l'horloge. Nul besoin d'être grand clerc pour comprendre qu'à production constante dans un laps de temps plus court, la croissance augmente. Le PIB n'est jamais qu'un ratio : au numérateur, la production de biens et services ; au dénominateur, la durée. En clair, si la France produisait en 355 jours ce qu'elle réalise en 365, elle renouerait *de facto* avec une croissance de 3 %. Dix jours seulement de gagnés sur une année. Combien de fois par an nos administrations, nos collectivités, nos entreprises perdent-elles dix jours dans ce qu'elles réalisent ? Et si la maîtrise du temps était élevée au rang de grande cause nationale par le président de la République ?

Ni manuel pour érudits, ni prêche moralisant à l'attention de politiques accablés, le présent ouvrage n'a d'autre ambition que de comprendre pourquoi la France va si lentement dans ce qu'elle entreprend. Nourri de l'expérience du dirigeant d'entreprise que je suis et du témoignage de bon nombre d'acteurs du monde politique, administratif, économique et social, il propose de dépasser les symptômes de ce mal si français en soumettant quelques pistes thérapeutiques.

1

La France ralentit...
quand le monde accélère

La France ralentit

J E DIRIGE LA SOCIÉTÉ la plus méconnue du CAC 40, pourtant numéro un européen et numéro trois mondial de son secteur. Présent dans douze pays d'Europe, Unibail-Rodamco est une société indépendante, propriétaire de 26 milliards d'euros d'actifs immobiliers, qui a l'ambition de développer pour près de 7 milliards d'euros de nouveaux projets. Le groupe invente, réalise, finance et gère de très grands ensembles d'immobilier d'entreprise, aussi bien des centres commerciaux (Les 4 Temps, Parly 2, Forum des Halles, Lyon Part-Dieu, etc.) que des bureaux (des tours à la Défense) ou des centres de congrès-exposition[1] (Villepinte,

---

1. En partenariat avec la chambre de commerce et d'industrie de Paris.

Porte de Versailles, Palais des congrès, etc.). Sans prétendre au glamour, Unibail-Rodamco s'efforce de « faire la différence » avec ses rivaux sur la qualité architecturale, la performance environnementale et le cadre de vie offert par les espaces qu'il conçoit et anime. Le groupe assure le carnet de commandes des plus grands architectes et des grands groupe du BTP, il fournit l'outil de travail des grandes et des petites entreprises du commerce et des services.

Construire une tour à la Défense ou bien un centre commercial d'ampleur à Lyon nécessite assurément du temps. Beaucoup de temps. C'est même LA composante de notre métier : mener à bien un vaste projet urbanistique dans des délais raisonnables. Que ceux-ci viennent à s'allonger, et c'est tout le projet qui part à la dérive : le coût du capital explose, les coûts de construction dérapent et le produit fini sera obsolète avant même d'avoir été livré. Chez nous, la maîtrise du temps conditionne ni plus ni moins la réussite ou l'échec d'un programme.

Au gré de mes déplacements en Asie, en Amérique et *a fortiori* en Europe, j'ai pu mesurer à quel point la France était progressivement devenue l'une des contrées où le fait d'ériger des « objets structurants » pour la ville requiert le plus de temps. Sauf miracle, concevable dans la théorie mais hautement improbable dans la réalité, il faut dorénavant compter en moyenne entre dix et quinze ans pour livrer clés en main un centre commercial, un centre de congrès-exposition ou bien une tour de bureaux. Cela va respectivement deux, trois et cinq fois plus vite ailleurs en Europe, aux États-Unis et en Chine.

Les dégâts liés à ce ralentissement sont évidents : chacun de ces projets représente à construire l'équivalent de deux ou trois paquebots, 10 à 15 millions d'heures de travail, pour l'essentiel non délocalisables, et l'activité de centaines de PME. Et la frustration est grande quand on réalise que, sur ces sujets d'architecture moderne privée et écologique, la France a la chance d'avoir à la fois la demande des utilisateurs, le savoir-faire et les financements privés disponibles. La source est là, sous nos pieds. Il suffirait simplement de maîtriser un seul paramètre, le temps, pour convertir ce formidable potentiel d'investissement en emploi, en ressources fiscales et en croissance économique.

Longtemps, cependant, j'ai cru que cette lenteur était circonscrite au domaine d'expertise d'Unibail-Rodamco, à notre présence dans des zones hyper-urbaines, plus sensibles politiquement et *in fine* plus difficiles à travailler. Mais un jour, sillonnant le Salon de l'agriculture qu'organisait une des filiales du groupe, je me suis rendu compte au milieu des vaches Holstein que Jean-Michel Lemétayer, alors président de la FNSEA[1], partageait ce même constat. Un acte aussi simple que de bâtir une étable relève aujourd'hui du parcours du combattant. L'exploitant doit compter au mieux deux ou trois ans pour abriter ses bovins : soit deux fois plus qu'il y a vingt ans.

Même combat lorsqu'il s'agit de fusionner deux exploitations agricoles, m'expliqua un jour le ministre de l'Agriculture, Bruno Lemaire : comptez huit semaines en Allemagne, près d'une année en France.

Le phénomène se répète dans la boulangerie, le cinéma, la grande distribution... Tous les pans de l'activité sont touchés par cet allongement implacable de la durée du « faire ». Comme le disait La Fontaine : « Ils ne mouraient pas tous, mais tous étaient frappés. » La maladie du temps long est aveugle, aussi impitoyable avec la sphère

---

1. Fédération nationale des syndicats d'exploitants agricoles, principal syndicat agricole en France.

18

privée qu'avec la sphère publique, aussi systématique avec les petits qu'avec les grands projets. On ne compte plus les maires fustigeant les délais infinis pour la réalisation qui d'un rond-point, qui d'une crèche, qui d'une école ou d'un logement social. Pour désamianter Jussieu, il faudra… dix-neuf ans. Pour boucler l'A86, il faudra quarante ans. Tout prend du temps. Plus que prévu, plus qu'avant, plus qu'ailleurs.

« Entre le moment où on a un terrain en vue et celui où s'ouvre le cinéma, il s'écoule désormais huit à dix ans, souligne Franck Lebouchard, l'ancien directeur général d'Europalaces, exploitant des salles Gaumont et Pathé. Il y a encore cinq ans, c'était à peine six ans. On a donc perdu presque 50 % du temps l'espace d'un quinquennat ! »

Pour les centres commerciaux, il faut aujourd'hui compter dix à vingt ans, ainsi que l'illustre la dernière livraison du « Millénaire » à Aubervilliers. Le projet est lancé en 1993. À partir de là s'ouvre un processus de quinze ans, « une saga infernale jusqu'à la fin du recours en 2008 », confie le maire d'Aubervilliers au *JDD*[1]. Un premier projet avec un hypermarché de 12 000 m² est

---

1. « Le Millénaire voit loin », 27 avril 2011.

d'abord retoqué par le tribunal administratif. Un nouveau dossier moins ambitieux réduit la surface à 4 000 m². Mais quatre associations de commerçants déposent un nouveau recours, et ainsi de suite... Au final, le centre a ouvert en 2011. Dix-huit ans après le point de départ. Un nouveau record à battre.

Alors que tout est devenu plus rapide, la France semble n'être plus qu'un îlot où tout va plus lentement. La question du temps sort peu à peu de notre radar collectif. La main sur le cœur, nos élus ont toujours des projets plein leurs programmes. On veut améliorer les transports en commun, encourager la construction de logements sociaux, stimuler la R&D, repenser l'aménagement des centres-villes, moderniser telle ou telle infrastructure publique, relever le défi de l'environnement... Mais quand il s'agit de parler de délais, on reste dans le vague, avec une hésitation gênée. Et si l'on vient à parler de calendrier, l'honnête femme ou homme politique s'empressera de préciser qu'il n'est qu'indicatif, tant on sait à l'avance que les retards et les reports sont aujourd'hui systématiques.

Pour les projets d'ampleur, où les risques et le nombre de personnes concernées sont plus élevés, un temps de réflexion plus long est probablement nécessaire, à condition néanmoins de ne pas basculer dans l'excès. Or, c'est typiquement ce qui se produit avec les stades de football de dernière génération : chacun sent bien confusément qu'un tel ouvrage ne peut être bouclé en deux ans, mais de là à en perdre treize... Il en va ainsi à Lille, où la privatisation en 1999 du club local, le LOSC (Lille Olympique Sporting Club), prévoyait la construction sous trois ans d'une nouvelle enceinte plus moderne et plus vaste que la précédente construite au milieu des années soixante-dix. De tergiversations politico-économiques en recours judiciaires, l'opération se révélera un vrai chemin de croix pour la municipalité et la direction du club, qui songeront, dans un premier temps, à affaler la voilure en reportant leurs ambitions sur la rénovation du stade existant avant, dans un second temps, de devoir finalement capituler en 2005 sur un projet revu à la baisse. Le dossier du Grand Stade Lille Métropole ainsi relancé suscita aussitôt son lot de recours contentieux. Il parvint finalement à s'extirper de la nasse judiciaire au printemps 2010 et les travaux commencèrent six mois plus tard. Ils devraient en principe s'achever fin 2012... avec dix ans de retard sur le programme initial et treize ans au total.

Treize ans en France... contre quatre ans en Allemagne. La comparaison n'est guère flatteuse pour nous. Pendant que Lille se consume en procédures de toutes sortes, Munich prouve par a+b qu'il est techniquement possible de bâtir un stade moderne en quatre ans en Bavière. L'enceinte baptisée Allianz Arena, du nom du sponsor qu'est devenu le premier assureur européen, est livrée en 2005 alors que le projet n'avait été acté qu'en 2001.

La politique du logement en France est aussi symptomatique de tous les maux d'une France corsetée par ses rigidités. De l'avis de tous les spécialistes, il faudrait produire environ 500 000 logements neufs par an. Un seuil tout juste suffisant pour tout à la fois rattraper le déficit accumulé que l'on peut chiffrer à 1,3 million d'unités et renouveler le parc obsolète (habitat insalubre, démolitions...). Or, en 2010, le total des mises en chantier se montait péniblement à 350 000, dont 310 000 constructions neuves. Face à ce déficit de production, notamment dans les grandes villes, la demande est en pleine ébullition sous l'effet de l'allongement de la durée de vie, d'une poussée démographique et du phénomène de familles recomposées. Ce marché, déjà complètement déséquilibré en faveur de l'offre, s'est vu ensuite abreuvé de liquidités avec la baisse des taux d'intérêt, l'allongement de la durée du crédit, des effets d'aubaine fiscale et le déplacement de l'épargne d'une boursière jugée risquée vers un immobilier plus rassurant. Résultat ? Dans les grandes conurbations (Paris, Lyon, Marseille…), les prix atteignent des niveaux stratosphériques. 10 000 à 20 000 euros le mètre carré à Paris, 6 000 euros le mètre carré à Versailles, Courbevoie et Sceaux, presque 7 000 à Boulogne, entre 7 000 et 9 000 à Levallois.

Les programmes neufs se vendent en un week-end. À ces niveaux de prix – il faut savoir qu'un programme neuf de qualité peut revenir à environ 3 000 euros du mètre carré – on devrait voir pousser les grues comme des champignons un peu partout. Et il y aurait même matière à exiger des promoteurs privés des quotas importants de logements sociaux ou intermédiaires, tout en respectant un équilibre gagnant-gagnant. En deux ou trois ans, en comptant sur les mécanismes de base du marché, on pourrait avoir fait un grand bond en avant susceptible de rétablir l'équilibre, et de permettre au plus grand nombre de trouver à se loger sans se surendetter ni se ruiner.

Mais c'est compter sans la France. Ici, entre une ambition privée ou publique et l'arrivée des grues, il y a un monde, celui de la lenteur. Il suffit de faire le tour des terrains libérés par les vieux hôpitaux parisiens pour s'en persuader. L'hôpital Laennec du VIIe arrondissement, situé à deux pas du Bon Marché, est ainsi inoccupé depuis 2000, date à laquelle ont été transférés ses services médicaux à l'hôpital Georges-Pompidou dans le XVe. En 2002, le promoteur rachète les 4 hectares de foncier dont 14 000 m² de verdure pour 80 millions d'euros. Chacun se prend aussitôt à rêver dans l'arrondissement d'un projet urbain modèle, près du Bon Marché et du Lutetia. Mais depuis cette date, l'entregent des « personnalités » du quartier couplé au dynamisme d'associations de riverains combat au nom de la préservation du patrimoine culturel et architectural, alors même que le projet met en valeur plusieurs bâtiments classés. S'agit-il de promouvoir un meilleur urbanisme ou simplement de ralentir l'arrivée des grues ? Personne ne le saura jamais. Mais le résultat est qu'il aura fallu pas moins de huit ans au promoteur pour finaliser son projet « Paris 7 rive gauche », 150 millions d'euros d'investissement comprenant 25 000 m² de logements neufs, 17 000 m² de bureaux, 4 500 m² de commerces, 3 500 m² de jardins et même une résidence étudiante de 50 places. Entre-temps, son permis de construire a été annulé en première instance avant d'être rétabli en appel. *In fine*, les grues sont arrivées en 2011, ce qui laisse augurer d'une fin des travaux à l'automne 2013. Autrement dit, en plein Paris, alors que la capitale manque cruellement de logements, le site de Laennec aura connu un « vide » de près de quatorze années. Il y a quinze ans, en 1997, Google et Amazon n'existaient pas. En quinze ans, la taille de l'économie chinoise a été multipliée par trois. Au cœur de Paris, pendant tout ce temps, un quartier entier aura attendu les maçons... laissé en friche, en état de stérilité fiscale, économique et sociale.

Le cas de l'hôpital Boucicaut ne laisse pas non plus d'intriguer. Ce vieux bâtiment datant du XIXᵉ siècle couvrant presque 30 000 m² dans le XVᵉ arrondissement a fermé ses portes, comme Laennec, en 2000. Dans la foulée, le conseil de Paris de septembre 2001 a validé un vaste projet de réaménagement du site en deux phases avec à la clé une école, une crèche, un jardin public, des logements sociaux ainsi que des locaux d'activité tertiaire. Bilan des opérations : il faudra attendre 2009 pour clôturer la première phase et voir ainsi émerger l'école, la crèche, deux immeubles de logements sociaux ainsi qu'un institut médico-éducatif. L'achèvement du chantier n'est cependant pas programmé avant 2015, puisque l'hypothèque que constituent d'éventuels recours n'est toujours pas levée sur la seconde phase du chantier.

Le record du genre revient cependant à la gare d'Auteuil dans le XVIe arrondissement de Paris. Voilà un terrain de 15 000 m², sur lequel était établie une gare qui n'a plus entendu le sifflement des trains depuis 1985. Vingt-sept ans d'abandon en plein Paris ! Pourtant Kaufman & Broad rêvait d'y implanter 35 000 m² de logements, dont 30 % à caractère social. En juillet 1994, le groupe foncier dépose une demande de permis de construire. Après moult recours jusqu'au Conseil d'État, le terrain est finalement reclassé en zone UN, c'est-à-dire en zone dédiée au trafic ferroviaire. Fin du projet immobilier. En 2004, dix ans après la première tentative, l'équipe de Bertrand Delanoë négocie cette fois avec RFF, le propriétaire du réseau ferré français, le rachat des terrains situés sur le tronçon de la petite ceinture. Un an plus tard, la mairie centrale vote le nouveau PLU prévoyant un projet immobilier à peine moins ambitieux que le premier, à savoir 32 000 m² ventilés en logements (350 appartements dont 50 % à caractère social), crèche et bibliothèque. Bilan ? Plusieurs associations de riverains s'acharnent à torpiller le programme et crient au « bétonnage » de la zone, de multiples recours ont été déposés. À ce jour, tout est toujours bloqué devant la cour administrative d'appel. La gare d'Auteuil reste une friche, doublée d'une utopie d'architecte. On manque de logements à Paris, mais la vue des beaux appartements du boulevard Suchet restera intacte encore pour longtemps. En France, la crise du logement est pour l'essentiel une crise de production. Qu'on laisse ces terrains en jachère quand il y a urgence à construire défie l'entendement.

Il n'y a pas que le logement qui est en panne. Sur un sujet qui nous est plus proche, le Forum des Halles, je ne peux que regretter, au bout de deux mandats consécutifs de sept ans chacun, que le maire de Paris – malgré une farouche énergie – n'ait toujours pas pu inaugurer ce magnifique projet, dont il avait explicitement fait l'une de ses priorités lors de sa première campagne électorale. Là encore, les consultations, procédures, recours auront fait leur œuvre de destruction de valeur et de report de bien-être collectif. À la fin, il y aura bien un beau projet, créateur d'emploi et de qualité de vie, mais que de temps perdu, que jamais nous ne rattraperons !

Et on ne serait pas complet sans évoquer le projet du Grand Paris, décrété priorité urbaine par le président Nicolas Sarkozy dans un discours prononcé à la Cité de l'architecture le 17 septembre 2007. L'ossature de ce projet très utile est un métro automatique, dont il est prévu – avant recours, retard et tribulation politique – un bouclage pour 2025 – quand presque tous les ministres aujourd'hui engagés dans son déploiement seront sans doute à la retraite. Dix-huit ans au minimum pour réaliser ce tracé circulaire de 155 km de long autour de la capitale, voilà le tarif officiel d'un projet d'intérêt national déclaré « urgent ». C'est à comparer aux sept années pour réaliser les 110 premiers kilomètres du RER (1962-1969). Quant au projet du premier métro de Paris du duo Fulgence Bienvenüe-Edmond Huet, qu'on appelait à l'époque le « chemin de fer métropolitain », il a été décidé par le conseil municipal en avril 1896. La livraison de la ligne 1 eut lieu quatre ans plus tard à l'été 1900. Dix ans après, le réseau parisien comptait déjà six lignes. Dix ans seulement pour faire le métro alors que les fameux « tunneliers » n'existaient pas. Il fallait tout creuser « à ciel ouvert » en éventrant la ville à la pelle.

Le projet du Grand Paris est à lui seul une bonne illustration de notre ralentissement collectif, à la fois absolu et relatif.

Pendant ce temps, le monde accélère

Pendant le temps que nous égrenons les mois et les années à faire lentement mûrir nos projets en France, la planète, elle, tourne de plus en plus vite. Non que les données astronomiques aient changé avec le nouveau millénaire, mais la fameuse mondialisation a fait son œuvre. Le pouls économique mondial ne bat plus au même rythme qu'avant : celui de la Chine frôle en permanence la tachycardie tandis que celui des trois autres BRIC – Brésil, Russie et Inde – monte fréquemment en surrégime.

L'emballement général ne date pourtant pas d'hier. En réalité, le monde a appuyé sur l'accélérateur depuis un siècle et demi environ. Et la vitesse s'est alors imposée aux sociétés développées de manière... fulgurante. Paul Virilio en a tiré la conclusion que « l'homme occidental est apparu supérieur et dominant malgré une démographie peu nombreuse, parce qu'il est apparu plus rapide[1] ». D'un continent l'autre, la vitesse a finalement été érigée en norme. Le politologue Gil Delannoi a même théorisé cette dérive en parlant de *tachynomie*. Résultat ? On s'est épris d'accélération, on s'est étourdi du mouvement perpétuel des êtres et des choses, on a eu soif de performances et de records. « Vivre, aujourd'hui, c'est fréquenter la vitesse tout au long de son existence, soutient Jean-Louis Servan-Schreiber. (...) Pour une majorité d'entre nous, la vitesse reste un bouclier contre le doute (...) C'est ainsi qu'elle fait de nous des magiciens qui ont transformé leur monde, au point de ne plus le reconnaître[2]. » Sans doute « JLSS » a-t-il raison. Nous nous consumons dans un présent obsessionnel, débordant, pléthorique. Nous subissons la dictature du court-termisme. Pour autant, peut-on y échapper ?

---

1. Paul Virilio, *Vitesse et politique*, Éditions Galilée, 1977.
2. *Trop vite !, op. cit.*

Sous prétexte que notre monde se serait perdu dans cette course contre la montre, il faudrait que nous, Français, avancions à pas comptés ? Ce serait aussi prétentieux qu'absurde. Ce serait surtout suicidaire.

À la Défense, on met dix ans en moyenne pour ériger une tour contre à peine deux en Chine. Mieux. En quinze ans, les Chinois ont monté *ex nihilo* leur gigantesque quartier d'affaires de Lujiazui à l'est de Shanghai, soit une zone ultra-moderne de 32 km² qui abrite aujourd'hui une cinquantaine de firmes internationales dont HSBC, CitiBank ou Petrochina mais aussi la Bourse de Shanghai et l'aéroport de Pudong. Il aura fallu un demi-siècle aux Français pour (presque) achever la Défense, qui avec ses 14 km² atteint à peine la moitié de la superficie du district de Lujiazui. Autrement dit, deux fois et demie plus de temps chez nous pour un projet deux fois moindre !

Cette même ville de Shanghai est d'ailleurs jumelée à Marseille. Et les deux villes partagent bien plus qu'un accord de coopération. Pour leurs gares, elles ont choisi le même architecte. Un maître français de grand talent : Jean-Marie Duthilleul. Pour la gare de Shanghai, cinq ans se seront écoulés entre le concours et l'inauguration, tandis que pour l'extension de la gare Saint-Charles à Marseille, il aura fallu quinze ans. Deux œuvres comparables, une qualité incontestable, le même architecte, mais un rapport de un à trois dans la maîtrise du paramètre « temps ».

Un autre grand architecte français, Jean-Marie Charpentier, n'est pas en reste. Lui aussi a œuvré en Chine. Il m'a raconté dans quel contexte s'était réalisé le plus beau projet de sa carrière : l'Opéra de Shanghai, une merveille. En 1994, les autorités chinoises avaient organisé un grand concours international que son agence avait brillamment remporté. C'était la première fois qu'un « long nez » (entendez un Occidental) gagnait un projet en Chine. Jean-Marie était lui-même resté sur place après les auditions. La nouvelle de sa désignation lui avait été annoncée un jeudi et le maire lui avait demandé de rester jusqu'au lundi pour ce qui lui était présenté comme une « réunion de présentation » devant les diverses autorités administratives concernées. Le lundi suivant, Jean-Marie entrait en scène devant un parterre de hauts fonctionnaires. Il présente son projet. À la fin de son intervention, un officiel appelle une trentaine de spectateurs qui se lèvent et se mettent en rang pour signer et tamponner une importante documentation déposée sur la scène, à même la table. Une fois ces opérations terminées, le maire de Shanghai retrouve Jean-Marie Charpentier, un peu décontenancé par ce cérémonial. Il lui déclare : «Je vous félicite monsieur l'architecte. Vous venez d'obtenir votre permis de construire. Les travaux peuvent commencer la semaine prochaine. » Chacun des délégués venait signer le volet du permis le concernant (pompiers, voirie, etc.), celui-ci était devenu définitif.

Qu'on ne s'y trompe pas, je ne propose pas de prendre le régime chinois en modèle. Mais entre une semaine là-bas et trois à dix ans chez nous pour obtenir un permis de construire, il y a certainement un moyen terme à trouver.

Regardons en effet la réalité telle qu'elle est et non telle qu'on voudrait qu'elle soit : le monde va vite et nous devons suivre son rythme effréné. Pour toute entreprise, gagner (des profits, des parts de marché, des appels d'offre, etc.) ne signifie rien d'autre que prendre de l'avance sur la concurrence, puis exploiter à fond cette avance, le temps que celle-ci la rattrape.

L'économiste suisse Klaus Schwab, fondateur du Forum de Davos, avait, il n'y a pas si longtemps, formulé le nouveau paradigme à l'œuvre sur les marchés : « Dans la compétition économique internationale, avant, les plus gros mangeaient les plus petits ; maintenant, les plus rapides mangent les plus lents. » On peut le déplorer, mais telle est la réalité de l'ordre économique nouveau.

Et Luc Ferry résume fort bien le nouveau rapport de notre économie au temps : « La seconde mondialisation, celle dans laquelle nous baignons aujourd'hui et qui émerge véritablement dans la seconde moitié du XXe siècle avec Internet et des marchés financiers qui fonctionnent grâce à lui de manière désormais instantanée, représente tout à la fois un produit de la première [mondialisation] et une rupture totale avec elle. Ce qui la caractérise au plus haut point, c'est une "chute", au sens biblique ou platonicien du terme. Le projet des Lumières "tombe" en effet dans une infrastructure, celle du capitalisme mondialisé, qui implique une compétition totale, parce que désormais ouverte sur le grand large. L'impératif de l'innovation, donc de la table rase avec le passé ou, si l'on veut, de la révolution permanente, n'est plus une question de goût, un choix parmi d'autres possibles, mais une nécessité indiscutable si l'entreprise veut, tout simplement, ne pas faire faillite[1]. »

La technologie joue en effet un rôle majeur dans cette accélération nouvelle du monde. On pourrait même s'aventurer à dire que l'essentiel du progrès aujourd'hui c'est la vitesse. La différence entre la lettre manuscrite de nos parents et nos e-mails, ce n'est pas le contenu. C'est l'instantanéité. Et l'internet nous projette dans un monde d'échange en temps réel du savoir, des produits et de la finance. Il accélère les modes, fait et défait les réputations des gens ou des entreprises en cinq lignes de blog. Plus les connexions seront rapides, plus la machine économique accélérera, moins les positions acquises seront définitives. Voilà le monde qui s'ouvre à nous.

À l'échelle du globe, il aura fallu trente-huit ans pour que 50 millions de personnes utilisent la radio, treize ans pour la télévision, quatre ans pour le net, trois ans pour l'iPhone et... quatre-vingts jours seulement pour l'iPad[2] ! Tout va beaucoup plus vite.

---

1. Luc Ferry, *Révolution des valeurs et mondialisation*, Fondapol, janvier 2012.
2. Source : Dr Karl Pall, dirigeant de Google Autriche.

La tendance est incontestable et vraisemblablement irréversible.

Cette accélération mondiale est-elle évi-
table ? Peut-on sortir du jeu ? S'asseoir et
regarder les autres courir ? Très franche-
ment, je ne le souhaite pas. Sortir du jeu,
c'est s'assurer une position de peuple do-
miné et exploité. C'est rejoindre un tiers-
monde, à faible croissance, fort déficit,
insécurité et inégalités galopantes. C'est renoncer à notre culture, à notre recherche, à
notre civilisation. Du reste, je crois que ceux
qui, sur l'échiquier politique, nous propo-
sent de nous isoler du monde pour cultiver
tranquillement notre jardin n'y croient pas
non plus vraiment. Ce sont les premiers à
courir le net, twitter et les blogs ; ils prennent l'avion et le TGV plus souvent qu'à
leur tour, consomment abondamment tout
ce que la modernité leur propose pour aller plus vite. Et parce qu'ils sont souvent
philanthropes, ce sont aussi les premiers à
se rendre compte que cette mondialisation
– dont ils redoutent tant les effets sur nos
vies quotidiennes – permet à des milliards
d'individus chinois, indiens, brésiliens et demain africains de sortir de la misère, d'accéder à la santé, à la culture et, le cas échéant,
à la démocratie.

Mais alors, si on ne peut sortir du jeu, faut-il se résigner à être ballotté dans les flots de ce tourbillon de l'accélération, dans lequel on ne maîtrise plus rien ? Cela n'est pas certain et fera l'objet d'une discussion ultérieure. On peut apprendre à maîtriser cette vitesse, en tirer le meilleur et éviter le pire. Mais dans tous les cas de figure, cette vitesse demeurera au fondement de notre performance collective. Et, *a contrario*, la France serait condamnée si elle devait ralentir, dans ce monde qui partout accélère.

2

La double peine,
une spécificité française

J'AI SOUVENT parlé du sujet de notre ralentissement collectif à des ministres, des maires ou des députés, et je peux dire que tous, presque sans exception, sont conscients du phénomène. Quel que soit leur bord politique, ils confient volontiers leur frustration à ne plus pouvoir inaugurer d'ouvrage majeur durant le terme d'un mandat électoral. Ils déplorent l'impuissance à laquelle ce ralentissement collectif les condamne, tandis que les urgences et les exigences, elles, se multiplient.

Mais, comme pour se rassurer devant un mal dont ils ignorent le remède, certains élus ajoutent que la situation n'est pas plus brillante ailleurs. À les entendre, hormis les pays émergents portés par une dynamique exceptionnelle et quelques dictatures isolées, l'ensemble du monde développé et civilisé prendrait désormais son temps. Le ralentissement collectif serait la contrepartie inévitable de l'essor des libertés publiques, en France et ailleurs. Plus de concertation, plus d'environnement, plus de justice... et autant de délais.

Cela ne me semble pas totalement exact. En ce qui concerne les projets d'équipement – publics ou privés –, la France s'est infligé, me semble-t-il, une double peine que l'on ne rencontre nulle part ailleurs dans les pays démocratiques.

Dans le monde occidental coexistent en fait deux modèles opposés, qui ont chacun leurs vertus :

Dans le système « nordique », priorité à l'amont. On s'inflige un temps préalable important, permettant la concertation avec les riverains et l'interaction avec les pouvoirs publics. On plébiscite le consensus. Une fois celui-ci obtenu, ce qui peut nécessiter plusieurs années, l'urbanisme est adapté, le permis de construire est signé, et le recours à la justice est non seulement rarissime, mais traité dans des délais très courts (six mois maximum), avec de très faibles possibilités d'appel.

Dans le système libéral classique, la primauté revient à l'aval. C'est l'inverse du précédent : on obtient les autorisations de construire beaucoup plus vite, mais, en contrepartie, les recours judiciaires sont faciles, contraignants, longs et fréquents. Si bien que des procédures peuvent courir sur plusieurs années.

Cultivant son particularisme, la France, elle, s'est enfermée dans le pire des systèmes avec le cumul d'un temps préalable long (concertation, enquêtes publiques, avis conforme de commissions, autorisations administratives, etc.), et d'un temps judiciaire de plus en plus étiré.

Cette situation du « ni-ni » français – ni nordique, ni libéral – défie l'entendement. Au regard des contraintes imposées pour préparer un projet, du nombre de décideurs publics impliqués, de la concertation avec les riverains, de la quantité de règles et d'impératifs à respecter et de commissions à convaincre, on aurait pu légitimement s'attendre à ce que les recours contre les projets soient à la fois exceptionnels et traités avec célérité par la justice.

C'est en réalité tout le contraire qui se produit. Il y a même un phénomène d'auto-contamination. La procédure préalable, longue et complexe, démultiplie les angles et les possibilités de recours, ralentissant d'autant la décision judiciaire. Les juges eux-mêmes

sont perdus devant la complexité des règlements régissant le temps préalable et sur lequel prospère l'imagination des avocats, une
fois le temps judicaire venu. C'est un cercle
vicieux.

3

Un temps préalable étiré

La dissolution de l'État

Longtemps, l'État a joué les accélérateurs. Historiquement, il s'est comporté en force motrice, enclenchant une dynamique économique et sociale irréversible. C'est à lui que l'on doit « l'unification progressive de la langue nationale, des devises, des fuseaux horaires, des systèmes d'éducation, de la législation, des systèmes administratifs, du régime fiscal, des infrastructures et des organes de direction centralisés, analyse le sociologue allemand Hartmut Rosa. (...) Par la construction d'infrastructures, par l'amélioration de la sécurité juridique et commerciale, par la conquête du monopole de la force (et de l'impôt) à l'intérieur, comme par la garantie d'une relative sécurité vis-à-vis de l'extérieur, l'État-nation créa les conditions d'une planification fiable et sûre à long terme, indispensable au déploiement systématique de l'accélération scientifique et technique, économique et industrielle[1] ». En France, le roi Charles IX fut ainsi le premier en 1563 à imposer une date unique, celle du 1er janvier, pour débuter l'année. Auparavant, la tradition séculaire assimilait le nouvel an à la fête de Pâques. Aussi certaines années étaient-elles plus longues que d'autres[2]... Sur la durée, l'État-nation s'est ensuite imposé aux autres modes d'organisation politique (Empires, cités-États) parce qu'il a su manipuler au mieux la vitesse.

Puis, le phénomène s'est inversé. L'État a peu à peu levé le pied. Il a oublié sa fonction d'accélérateur et s'est mis au contraire à appuyer sur le frein... Progressivement, l'État s'est dilué, par le sommet, dans l'Union européenne et, par la base, dans les collectivités territoriales. Cette dilution a eu lieu

_____

1. Hartmut Rosa, *Accélération, une critique sociale du temps*, La Découverte, 2010.
2. L'année 1566, date à laquelle entra en vigueur l'édit pris par Charles IX en 1563, fut la plus courte de l'histoire de France, puisqu'elle débuta le... 14 avril (Pâques) et s'acheva pour la première fois le 31 décembre. Soit 8 mois et 17 jours. (In *Du temps* de Norbert Elias, Fayard, 1984.)

sans renoncement. L'État, en fait, continue à s'occuper de presque tout, mais il partage le pouvoir tant avec le sommet qu'avec la base. Le résultat de ce chevauchement de responsabilités identiques ou connexes est que notre action collective publique se distingue aujourd'hui par sa lenteur. La vieille administration, combinée à la superposition des responsabilités, n'est plus adaptée à la célérité de la société des réseaux. Elle semble dépassée.

La question des financements publics d'infrastructure illustre le propos. Dans nos régions, on observe depuis une vingtaine d'années la multiplication des panneaux indiquant les heureux donateurs au moindre ouvrage public. Ce rond-point, cette crèche, a été financée par l'État à x %, la région à x %, le département à x %, et la commune pour le reste. Sachant que toute décision de ces collectivités est soumise à un vote d'assemblées, on imagine le temps perdu dans cet empilement d'analyses, de débats et de décisions. Il y a quarante ans, c'était le préfet qui décidait seul. Un système très jacobin, un peu frustrant pour tout le monde, mais qui avait le mérite de faire gagner du temps.

Au-dessus de tout cela, il y a l'Europe,

qui sait aussi parfois être une caricature de lenteur. Le deuxième plan de sauvegarde de la Grèce, du 21 juillet 2011, était un plan d'urgence européen, estampillé priorité absolue. À charge ensuite pour les dix-sept pays membres de la zone euro de le ratifier au plus vite via leurs Parlements respectifs. À l'arrivée, il faudra attendre plus de six semaines pour qu'un premier pays se manifeste, en l'occurrence la France, le 7 septembre. L'Allemagne, première puissance économique du Vieux Continent, ne se signalera que le 29 septembre. Et la Slovaquie, le 17e et dernier État à se prononcer sur le renforcement du Fonds européen de stabilité financière (FESF), finira par le rejeter le 11 octobre... pour une urgence absolue décrétée à la mi-juillet. D'ailleurs, quand elle n'est pas affairée à un plan d'urgence, l'Europe est aussi une formidable machine à produire de la norme. C'est probablement sa grande revanche sur son absence de réalité politique.

Cette multiplication de strates politiques locales, nationales et européennes généralement désordonnées et coûteuses, provoque un effet secondaire générateur de ralentissement additionnel : la multiplication des élections. Tout s'arrête pendant les périodes électorales. Plus d'instruction, plus de séances, plus d'autorisation. Et comme on vote tous les dix-huit mois, ça s'arrête souvent. Les projets sont alors repoussés. « Pas de vagues pendant la campagne », entend-on. « Les élus ne sont pas disponibles. » « On verra après. »

Enfin, comme si cette accumulation d'échelons politiques et administratifs ne ralentissait pas suffisamment les choses, le tableau s'encombre progressivement d'une multitude d'autorités spécialisées. Il s'agit généralement de commissions rassemblant politiques, administratifs, sachants et représentants de la société civile. Leur objet est de se prononcer sur un angle particulier afin d'éclairer, de façon contraignante ou non, la décision politique ou administrative. Commission des sites, commission de sécurité, sous-commission ERP/IGH, commission d'aménagement commercial, commission d'examen de permis de construire, commission du débat public, commission d'enquête publique, commission PLU, commission locale de l'eau, commission Natura 2000, Conseil national de la protection de la nature… Ces commissions se réunissent le plus souvent à date fixe. Leur démultiplication est une des causes évidentes de l'allongement des délais.

Un principe de précaution dévoyé

Aujourd'hui, la France a peur. Du changement, de la compétition, de l'innovation. Tellement peur de son avenir qu'elle se refuse à maîtriser le temps. Elle attend, quitte à subir les événements plutôt que de les affronter. Vivre et laisser traîner en somme. C'est sur ce terreau fertile qu'a prospéré le redoutable principe de précaution. Un principe que l'on invoque *a priori* de peur de devoir rendre des comptes (à l'opinion ? aux électeurs ?) *a posteriori*. Mais si le principe de précaution a pris valeur constitutionnelle il y a seulement six ans, son ombre portée sur la vie politico-économique française s'étend en réalité depuis de nombreuses décennies. Notre pays en est imprégné depuis très longtemps.

En théorie, le principe, constitutionnel, de précaution[1] doit surfer sur le bon sens

---

1. « Lorsque la réalisation d'un dommage, bien qu'incertaine en l'état des connaissances scientifiques, pourrait affecter de manière grave et irréversible l'environnement, les autorités publiques veillent, par application du principe de précaution et dans leurs domaines d'attribution, à la mise en œuvre de procédures d'évaluation des risques et à l'adoption de mesures provisoires et

citoyen dans un monde chamboulé par la technologie et les avancées industrielles. L'idée ? Prévenir des risques que l'état actuel des connaissances scientifiques ne permet ni d'écarter, ni d'évaluer avec certitude. Optique : risque zéro, puisqu'il est admis que l'on vit une époque qui ne saurait tolérer les dégâts collatéraux, les accidents regrettables et autres dangers calculés. De sorte que l'on entend se prémunir au cas où. Mais comment soupeser des risques incertains, comment évaluer des dommages non encore advenus ? Peut-on jamais apporter la preuve d'une absence totale de risque ? Bien sûr que non. La science ne saurait fournir à l'instant présent l'absolue certitude exigée pour le futur.

Si l'on pousse le curseur un peu plus loin, le principe de précaution bascule peu à peu dans le précautionnisme. C'est sa version maximaliste, presque une idéologie. Où l'on considère qu'au moindre doute, il faut surtout ne rien faire. Où le principe de précaution devient le principe de l'inaction, opposable à toute innovation. « Au fond, cela revient à admettre que ne pas agir,

———————

proportionnées afin de parer à la réalisation du dommage. » (Charte de l'environnement, art. 5.)

c'est mieux qu'agir[1] », explique Geoffroy Roux de Bézieux, fondateur de The Phone House et patron de Virgin Télécom. La précaution n'a ici plus rien à voir avec la prudence dont certains pensent se gargariser. Il faut relire Aristote : l'homme prudent s'accommode avec le possible, pas avec le certain. La prudence, aux yeux des Grecs, était « l'œil de l'âme ». Vertu de l'intelligence, cette qualité majeure fonctionne comme un stimulant cognitif : elle aide ceux qui doivent décider et agir sans se contenter d'appliquer des recettes éprouvées. Être prudent, ce n'est pas être précautionneux ; c'est « délibérer au mieux ». Face à un risque incertain, l'homme prudent soupèse, puis arbitre. Au contraire, l'homme précautionneux sera frileux. Parce qu'il aura naturellement tendance à surestimer les risques faibles ou les facteurs qui « font peur », il sera totalement inhibé.

Autant ce raisonnement peut se comprendre à l'échelle individuelle, autant il demeure préjudiciable à l'intérêt général à l'échelle d'un pays. Dans son acception ultra, le principe de précaution mène en effet à une forme de douce déraison collective,

---

1. Entretien avec l'auteur, juin 2011.

fondée sur une profonde méconnaissance de l'appareil scientifique. Or la science ne prétend jamais à la certitude absolue. C'est là son humilité originelle : par honnêteté intellectuelle elle admettra simplement que le pire n'est jamais strictement impossible bien que hautement improbable.

Du principe de précaution au principe d'inaction

Le précautionnisme rappelle par un effet de symétrie « le Méphistophélès de Goethe qui "veut le mal, mais fait parfois le bien" quand lui, veut le bien, mais fait parfois le mal. Seulement, voici le mal que produit cette idéologie n'inspire pas l'effroi car il est, d'une certaine façon, indirect et donc socialement invisible[1] », écrivent Gérald Bronner et Étienne Géhin dans leur essai décapant.

Appliqué à la vie courante des affaires, ce précautionnisme s'avère redoutable et nourrit une grande partie de la défiance de l'administration vis-à-vis de l'entrepreneur.

---

1. *L'Inquiétant Principe de précaution*, Gérald Bronner et Étienne Géhin, PUF, 2010.

Autant la production de normes que la pratique administrative sont directement influencées par ce principe. « On recommence toujours à zéro quand bien même vous vous apprêtez à ouvrir votre 350ᵉ point de vente. Je dois compter désormais neuf mois pour ouvrir une boulangerie dans l'Hexagone, contre à peine trois mois en Angleterre », indique Maxime Holder qui dirige l'enseigne des Boulangeries PAUL. « En Asie, on est juste sur une autre planète : huit semaines suffisent, du repérage du site à l'ouverture effective du magasin. »

Louable en soi, le principe de précaution a été dévoyé avec les années. On en a forcé la lecture. Que d'abus commis en son nom. Et le même de me raconter que le règlement l'oblige dorénavant à vendre ses sandwiches à 3 °C dans toutes ses enseignes. « Mais qui procéderait comme ça chez lui ? Qui aurait envie d'ingurgiter du pain à une température encore plus froide que celle de son réfrigérateur ? J'ai eu beau avoir effectué de multiples tests de vieillissement accéléré de nourriture sous le contrôle de l'Institut Pasteur, il n'y a rien eu à faire. On m'a répliqué : "C'est comme ça. On ne prend aucun risque. Tout à 3 °C !" En France, on s'arc-boute sur des normes, des directives, des règlements, ridicules à force d'être outranciers. À l'étranger, en revanche, on se montre moins tatillon. On vous crédite d'emblée de bonnes intentions. On vous avertit juste qu'en cas de dérapage, vous serez sanctionné. Est-il normal que chez nous, la commission Sécurité puisse exiger la fermeture d'un magasin pendant trois semaines pour un souci mineur qui ne met nullement en danger la santé des personnes ? Les grandes firmes peuvent compenser en misant sur d'autres sites, mais pas les plus petites... »

La prolifération des normes et des règlements

Mais pourquoi autant de freins dans un monde qui plébiscite la vitesse ? La France est aujourd'hui malade de ses normes. Elle en produit à un rythme jamais égalé dans son histoire. Le résultat est que la moindre entreprise ploie sous un nombre de directives toujours plus sophistiquées et plus intrusives les unes que les autres. L'entrepreneur, public ou privé, est enserré dans un carcan de prescriptions et de contrôles obligatoires qui freinent la moindre de ses initiatives.

Reprenons l'exemple de l'urbanisme. Les normes « Sécurité », « Handicapés », « Sûreté », « Patrimoine et monuments historiques », « Archéologie préventive » ou « Faune & Flore » sont évidemment indispensables et on prendrait bien des risques à oser formuler la moindre critique. Prise isolément, chacune d'entre elles semble en effet se justifier pleinement. Qui voudrait s'élever contre la protection d'animaux menacés de disparition ou l'amélioration de l'accessibilité des sites publics aux personnes à mobilité réduite ? Qui oserait dénier aux Architectes des Bâtiments de France (ABF) la faculté de discerner, de façon indépendante et qualifiée, le beau du laid en matière d'architecture ? Qui prendrait le risque de ratiociner contre les dispositifs de sécurité qui s'imposent aux entreprises pour le bien-être de leurs employés ? Personne, évidemment, ce serait moralement injuste et politiquement incorrect.

Car la difficulté, ce n'est pas le principe de la régulation, celle-ci est nécessaire. La difficulté réside dans la méthode employée. La méthode française, c'est non seulement l'inflation de normes, mais aussi le pointillisme le plus poussé, avec contrôle *a priori* et *a posteriori*, par de très nombreuses autorités dont les compétences se chevauchent. Notre handicap, ce n'est pas telle ou telle norme, prise individuellement. C'est le cumul des normes, leur niveau de détail et l'organisation de leur contrôle à travers une multiplication d'institutions et de responsables qui ralentissent aujourd'hui notre action collective à un point jamais atteint.

Or, à chaque projet, il faut cocher toutes les cases. Et en cas de désaccord avec l'administration, soit vous ne disposez d'aucune voie d'appel, soit l'appel de la décision prendrait tellement de temps que vous n'y recourrez jamais. Car, entre l'acteur privé et le pouvoir public, il existe en effet une inégalité fondamentale. Pour le premier, la lutte contre le temps perdu est une question de survie. Le second semble souvent disposer d'un crédit de temps, que seules l'indignation publique ou la pression politique permettent de limiter.

Existe surtout un effet cliquet, dommageable, traditionnel dans le droit français : on ne peut qu'en ajouter, jamais en retrancher. Supprimer une norme reviendrait de fait à admettre son inutilité. De quoi aussi jeter le discrédit sur l'ensemble du dispositif normatif.

On en est donc réduit à l'addition perpétuelle. « Dans une vie antérieure, j'ai été "expert construction-incendie" auprès du tribunal administratif, m'avoue un jour Éric Ranjard, ancien patron de Ségécé, un des leaders de l'exploitation et de la promotion de centres commerciaux. Je peux dire que nous avons actuellement le dispositif contraignant le plus sécuritaire qui soit dans le monde civilisé ! Avec l'expérience, je pense que nous sommes probablement allés trop loin... La vérité est que plus vous multipliez les règlements, plus vous augmentez les coûts des infrastructures, plus vous retardez le progrès. On finit par dissuader le lancement de projet. Et, *in fine*, on reste dans les vieux locaux, plus dangereux, simplement parce que le niveau de norme qu'implique le neuf est devenu financièrement ou techniquement inaccessible[1]. »

Dans un rapport au président de la République, le sénateur Doligé constatait que « des dispositions concernant le bâtiment et la construction sont présentes dans onze codes différents : code de l'urbanisme, code de l'environnement, code de l'action sociale et des familles, code de la santé, code du

---

1. Entretien avec l'auteur, juin 2011.

travail, code général des collectivités territoriales, code civil, code des assurances, code du commerce, code de la consommation et code du patrimoine[1] ».

Et chacun de ces codes prend de l'importance, chaque année. Repartons du plus simple, notre code de l'urbanisme (édition Dalloz). Je n'ai pas commencé à travailler au Moyen Âge, mais il y a dix-neuf ans, en 1992. Cette année-là, le code de l'urbanisme comprenait 1 138 pages. Dans un pays où nul n'est censé ignorer la loi, c'était un ouvrage déjà bien considérable à maîtriser.

L'édition 2011 contient... 3 031 pages. La croissance a été presque linéaire, avec 50 à 250 pages produites chaque année. À ce rythme-là, le code devrait atteindre les 7 000 pages en 2050. Parvenu à un tel volume, il ne sera probablement plus consultable en version papier, et il faudra encore plus d'avocats pour en comprendre les contours. Oui, nous sommes bien en face d'une industrie organisée de production de normes. Évidemment, plus il y a de normes, plus il

---

1. *La Simplification des normes applicables aux collectivités locales*, mission d'Éric Doligé, sénateur du Loiret, auprès du président de la République, juin 2011.

y a d'interaction avec les administrations, plus il y a de fragilité ou d'angles d'attaque devant les tribunaux. Et surtout, plus nous ralentissons notre action collective, publique et privée.

La France, ce vieux pays jacobin, ultra-centralisateur, ploie sous la tradition de ses « lois bavardes » – selon l'expression même du Conseil d'État – qui, tel un édredon, étouffent toutes velléités accélératrices. « Le drame est que tout ministre veut donner son nom à un texte, prétendument simplificateur, mais qui ne l'est jamais en réalité. Et ceci est lié à l'accélération du temps politique : parce que les mandats ministériels sont de plus en plus courts, aussi faut-il se hâter d'imprimer sa marque, décrypte Jean-Pierre Duport, qui fut préfet de la région Ile-de-France et directeur de l'Architecture. Paradoxalement, sous la IVe République, bien que les présidents du Conseil se succédassent à un rythme élevé, on retrouvait finalement les mêmes têtes au mêmes portefeuilles. Pierre Pflimlin a ainsi été à l'Agriculture pendant quatre ans. Aujourd'hui, les ministres veulent promptement médiatiser leur passage. Or, qui dit loi dit mesures réglementaires. Nous nous retrouvons avec un millefeuille indigeste. On ne peut que déplorer qu'il n'y ait pas de toilettage à chaque fois[1]. »

Le secteur de la construction est particulièrement victime de l'inflation des normes. Jean-Jacques Lefebvre, ancien directeur général d'Eiffage Construction, témoigne : « En vingt-cinq ans, la France est devenue le pays d'Europe où les normes pour construire sont devenues les plus exigeantes. Quand vous démarrez un chantier, notamment à la Défense, il faut procéder à une étude de site pour valider les phénomènes météorologiques, et très souvent réaliser une étude en soufflerie pour apprécier les coefficients de pondération à prendre en compte. Désormais, les flèches de grues ne peuvent plus survoler, même sans charges, les magasins et les voies ferrées. Vous devez attendre parfois six mois pour obtenir un branchement de chantier de la part d'EDF. Vous devez installer des bungalows de plus en plus sophistiqués, de plus en plus vastes avec des salles de détente, des sanitaires qui doivent être directement reliés aux vestiaires. Le durcissement des règlements sur le degré coupe-feu et la stabilité des bases vie entraîne des surcoûts importants. À Paris, il va falloir même

---

1. Entretien avec l'auteur, juin 2011.

déposer un permis de construire spécial pour ces bâtiments provisoires. Les collectivités locales et territoriales imposent des procédures, des délais d'approbation qui freinent le démarrage des chantiers. Les contraintes de voisinage, les normes environnementales sont des facteurs qui limitent les plages horaires de travail, empêchent le travail le samedi et le travail à postes. Dans les pays anglo-saxons, il est possible de réaliser une tour de bureaux dans des délais beaucoup plus courts grâce à de tels aménagements, ce qui est actuellement impossible en France, même avec une procédure de concertation et l'accord de tout le monde[1]. »

Toutes ces mesures, ces contraintes obèrent les comptes des acteurs et font perdre un temps précieux. À la fin, c'est autant de projets ralentis, parfois abandonnés, de logements produits en moins, de crise en plus... Ce qui est perdu, à titre collectif, semble bien loin d'être compensé par l'avantage que procure cette inflation de normes. En tout cas, il est certain que personne n'a dressé le bilan coût/avantage de ces mesures. Personne n'a évalué ni chiffré les dommages liés à la perte du temps.

---

1. Entretien avec l'auteur, mai 2011.

Et le corollaire de cette inflation incontrôlée de papier se retrouve aussi dans le permis de construire. En 1991, le permis de construire de la tour Cœur Défense nécessitait une page pour 158 m² de bureaux. En mars 2010, nous avons obtenu celui de la tour Phare à raison d'une page pour 77 m². En vingt ans, 100 % d'augmentation. Bientôt, il faudra une camionnette pour transporter l'ADN administratif d'un projet.

Quant au secteur public, il n'est pas en reste. Probablement parce qu'il ne peut s'en exonérer, parce qu'il ne peut déroger à la moindre norme. « Au fur et à mesure que l'État a transféré des compétences aux collectivités locales, il a dans le même temps durci les contraintes qui pèsent sur elles. Nous sommes ainsi confrontés à présent à des obligations réglementaires – notamment dans les bâtiments publics – que l'État ne s'imposait pas à lui-même quand il en avait naguère la charge[1] », analyse un haut fonctionnaire de la Ville de Paris.

---

1. Entretien avec l'auteur, mai 2011.

Des processus administratifs
enchevêtrés et complexes

La description du cheminement administratif d'un grand projet risque de lasser le
lecteur le plus assidu. On se contentera donc
d'un bref résumé qui ne se veut ni exhaustif,
ni à jour, tant il est possible qu'une ou plusieurs phases soient ajoutées d'ici à la pu-
blication de cet ouvrage.

Tout commence en général par une révision du PLU, le plan local d'urbanisme.
Par essence, ces « PLU » ne prévoient pas
les grands projets. On révisera donc le PLU
pour le rendre possible. Le maire devra no-
tifier la révision au préfet, au président du
conseil régional, au président du conseil général, ainsi qu'à diverses autres instances.
Puis il organisera une enquête publique,
avant de soumettre la modification à son
conseil municipal. Comptons entre six mois
et deux ans, suivant les cas. C'est juste
l'échauffement.

Puis vient le temps de l'enquête publique.
Il y a tout d'abord la phase de constitu-
tion du dossier. Sous le contrôle de l'administration, une étude d'impact est lancée
pour mesurer les conséquences environnementales du projet et compenser les effets

négatifs. L'autorité environnementale (préfet, ministère ou conseil général de l'Environnement et du Développement durable suivant les cas) a tout pouvoir pour vérifier que l'état des lieux est complet, que les impacts ont été identifiés et que les mesures compensatoires sont suffisantes. En termes de délai, la tendance actuelle est d'environ douze mois pour cette simple étape « environnementale » : c'est le cycle complet de la nature, quatre saisons.

D'autres documents viennent à l'appui de l'enquête publique : plan, descriptif... De nombreux projets nécessiteront également un agrément préfectoral, dont copie sera jointe à la documentation. Sur les très gros sujets, le législateur prévoit même qu'un débat public, sous contrôle de la CNDP (Commission nationale du débat public), soit organisé en préalable à l'enquête publique elle-même.

Une fois que tout est prêt, on saisira le préfet, qui saisira le président du tribunal administratif, pour que lui-même désigne le commissaire enquêteur (il eût été trop simple que le commissaire fût nommé par le préfet lui-même). Ce commissaire enquêteur recevra les avis du public, qu'il consignera dans un rapport, avant de rendre un avis qu'il vaut mieux « positif » ou « positif sous réserve », si vous voulez avoir une chance de continuer votre parcours sur ce grand jeu de l'oie administratif. Attention, l'enquête publique ne se déroulera pas pendant l'été, ni pendant les périodes électorales. Il faudra attendre son tour.

Continuer, c'est, dans de nombreux cas, passer l'épreuve des commissions : la commission départementale d'aménagement commercial pour les commerces ou la commission départementale d'équipement cinématographique pour les cinémas. Un gros dossier à constituer avec, *bis repetita*, à nouveau un volet environnemental. Une commission réunie par le préfet qui dit oui ou non, avec appel possible en Commission nationale, puis au Conseil d'État. Six à douze mois de délai.

Ensuite vous passerez à la phase d'instruction du permis lui-même. Compter un an au moins si vous avez de la chance, à savoir un architecte des Bâtiments de France conciliant dans les sites classés, pas de fouille archéologique, des pompiers admettant les mesures compensatoires que vous proposerez... et dix-huit mois minimum pour un établissement recevant du public. La question des mesures compensatoires mérite qu'on s'y arrête un instant. En France, nous avons tellement de lois et règlements qu'aucun grand projet ne peut complètement s'y conformer, d'autant que les textes sont souvent contradictoires entre eux. On discute donc avec les autorités de « mesures compensatoires », selon lesquelles on s'exonère de la norme en échange d'un effort sur tel ou tel aspect. Tout dépendra donc de la bonne volonté des autorités en question et, d'un département à l'autre, la pratique diffère. S'il y a un grain de sable (avis négatif), tout peut se bloquer pendant des semaines jusqu'à ce que la solution soit trouvée.

Une fois que le maire, avec la bénédiction de tous, aura signé votre permis, vous entrerez dans le monde du recours, gracieux puis contentieux... Si vous n'y êtes pas entré avant, puisque toutes les étapes préalables à votre permis (agrément préfectoral, CDEC...) sont aussi attaquables devant les tribunaux. N'oublions pas, la justice administrative en France, c'est cinq à huit ans d'attente si votre opposant veut vous emmener jusqu'au Conseil d'État par les petites routes de campagne.

Et le plus souvent, le processus décrit ci-dessus, case judiciaire comprise, se verra dédoublé des démarches parallèles (souvent identiques) que la collectivité elle-même entreprendra pour vous amener un bout de route départementale, créer une gare de bus, ou simplement se rendre maître d'un morceau de foncier qu'elle doit vous céder.

Enfin, un jour que vous n'attendiez plus, vous, ou plus vraisemblablement votre successeur, verrez avec émotion les grues se déployer sur votre chantier et la construction commencer. En synthèse, un grand projet en France, c'est aujourd'hui au minimum huit ans, en moyenne quinze ans, au pire vingt ans.

Certains voudraient en rendre responsable notre administration, jugée trop zélée, trop intrusive, trop importante. Il est vrai que chacune des normes qui encadre l'action publique ou privée française est défendue par des équipes nombreuses et qualifiées. C'est le fruit de notre centralisation et peut-être d'une certaine méfiance à l'égard de l'initiative, d'où qu'elle vienne. Mais personnellement, je crois qu'on aurait bien tort de se plaindre du haut niveau de professionnalisme des autorités en question. La tradition française s'honore de pouvoir compter sur une administration efficace, compétente et honnête. On préférera de loin cet environnement encombrant à celui des pays infréquentables où la corruption et la connivence autorisent les petits arrangements face à une régulation jugée trop pointilleuse. Ceci dit, il y a dans ce cheminement administratif trois particularités qui me semble mériter attention et qui pourraient utilement inspirer les bonnes volontés réformatrices :

1) la redondance des étapes. Un simple exemple : l'enquête publique. Elle est nécessaire quand on modifie le PLU, quand on demande un permis d'aménager ou quand il s'agit d'une surface supérieure à 10 000 m². Or, beaucoup d'objets urbains d'envergure répondent à ces trois critères à la fois, réclamant trois enquêtes publiques différentes ;

2) la surmultiplication des autorités et des services : de quatre-vingts à deux cents fonctionnaires nationaux ou territoriaux différents auront à connaître votre projet, ainsi que la presque totalité des élus locaux (commune, communauté d'agglomération, département, région) ;

3) l'absence de capacité à optimiser les délais : chaque étape nécessite son temps administratif et rares sont les cas où vous pouvez travailler en temps masqué.

Quelques illustrations choisies

Depuis un siècle, la famille Hottegindre exploite des remontées mécaniques, hôtels et restaurants dans la petite station des Houches en Haute-Savoie. En 1999, Yves Hottegindre a entrepris de reconstruire l'hôtel Bellevue : 1 000 m², un bâtiment des années 1920, sans intérêt architectural, abandonné depuis vingt ans. Au pied du mont Blanc le site est évidemment classé, il faut donc un avis conforme des autorités sur quoi que ce soit. Pendant près de six ans un dialogue s'instaure avec le ministère de l'Écologie et du Développement durable et les différents acteurs concernés (ABF, préfecture, mairie, commission départementale des sites, directeur régional de l'Environnement...). À chaque fois la copie de l'architecte ne plaisait pas : trop moderne, trop savoyard ; trop ceci, pas assez cela, etc. Il y avait toujours un fonctionnaire ou un élu pour refuser la proposition. Yves Hottegindre a fini par s'asseoir autour d'une bière avec l'un d'entre eux : « Y a-t-il moyen de faire quelque chose de ce bâtiment qui tombe en ruine ? » Son interlocuteur, tout d'abord un peu circonspect, de lâcher : « Refaites le même bâtiment, le même crépi couleur béton, les mêmes fenêtres, c'est là depuis un siècle. C'est moche, d'accord. Mais nos responsables seront rassurés d'autoriser une copie conforme à l'existant. » C'est le fameux principe de précaution... En 2006, le ministre de l'Équipement autorise donc la démolition et la reconstruction à l'identique, sous forme de pastiche, d'un hôtel de treize chambres. Ce n'est que le début de l'épopée administrative. Il faudra ensuite une autorisation UTN (Unité touristique nouvelle), et la première délibération de la mairie autorisant le dépôt du dossier UTN sera prise en 2007. En mars 2008, la lourde commission UTN (une vingtaine de membres) donne un avis favorable. Et le permis de construire, rassemblant tous les avis favorables nécessaires, est enfin obtenu en juin 2008, permettant la démolition de l'ancien bâtiment durant l'été.

C'est à ce moment qu'Yves Hottegindre rencontre la star internationale de l'architecture du développement durable, Hermann Kaufmann, qui lui expose qu'il est possible de construire des hôtels d'altitude complètement passifs (moins de 15 kWh au m² par an, là où les normes bâtiment basse consommation sont à 80 kWh et un hôtel actuel à 300 ou 400 kWh). On demande donc à

Hermann Kaufmann de préparer un permis modificatif avec l'ambition de créer le premier (et le seul à ce jour) hôtel français totalement passif. Les modifications étant mineures et invisibles à l'extérieur – 50 cm de plus sur le toit et un plancher au sol rabaissé de 70 cm – pour accueillir les échangeurs thermiques et installations géothermiques, en plus de quelques corrections d'erreurs de calcul de surfaces du premier permis (sans dépassement toutefois de la constructibilité possible), les travaux continuent.

L'hôtel est superbe pendant cet automne 2010. À l'extérieur, il garde sa sévérité et son austérité de refuge d'altitude. À l'intérieur, l'ossature et la construction en bois lui confèrent un charme inédit. Et ses qualités d'isolation et d'économie d'énergie dépassent les projections. L'Ademe[1] désigne le projet comme lauréat du concours Prebat (Programme d'expérimentation sur l'énergie du bâtiment). La presse est enthousiaste. Yves Hottegindre croit être sorti

---

1. Agence de l'environnement et de la maîtrise de l'énergie, fer de lance du ministère de l'Écologie, du Développement durable, des Transports et du Logement.

du cauchemar administratif qu'il vit depuis dix ans et s'apprête à embaucher son staff pour accueillir les premiers clients. Mais le 12 novembre 2010, le maire de Saint-Gervais refuse par arrêté municipal le PC modificatif. En décembre 2010, les services de l'État bloquent l'ouverture de l'établissement et exigent de reprendre toutes les démarches à zéro. Il faudra redéposer un nouveau dossier UTN, un nouveau permis, etc. Le dossier UTN ne sera pas le même que celui présenté deux ans auparavant. Il devra être complété de quelques dizaines de pages, notamment du fait d'un classement « Natura 2000 » à proximité. Les acteurs publics se montrent aussitôt rassurants. Tout cela ne devrait pas poser de problèmes tant les modifications sont mineures… et l'hôtel superbe.

Le seul problème, en réalité… c'est le temps ! La saison 2010-2011 est sacrifiée. Le maire de Saint-Gervais refuse l'autorisation provisoire pour 2011-2012. À l'heure où ces pages sont écrites, on ne sait toujours pas si le dossier pourra obtenir son visa UTN au premier trimestre 2012. Ensuite, particularité française, en période d'élections présidentielles et législatives, toutes les commissions administratives seront à l'arrêt, dans l'expectative... Yves Hottegindre pourra-t-il rouvrir l'hôtel de son arrière-grand-tante à Bellevue à l'hiver 2012, après treize ans de combat ? Le suspense reste entier. Mais il en faut plus pour entamer le moral de ce Savoyard de 55 ans, skieur surdoué, double champion de l'American Pro Tour en 1979 et 1980. En attendant, que d'énergie, de ressources fiscales, de temps administratif, d'emplois et de croissance inutilement sacrifiés. Oui, il faut protéger la montagne. Oui, il faut des normes et des règlements. Mais à quoi bon tout ce temps perdu ?

L'île Seguin, qui abritait la célèbre usine Renault, fermée en 1992, est aussi un exemple du genre.

1992-2012, voici un curieux anniversaire pour un site toujours en friche. Vingt ans de désert urbain. Aux portes de Paris, au cœur d'un méandre de la Seine, cette île est un espace unique de la métropole francilienne. Il fallait pour cet endroit, mémoire du prolétariat, un objet exceptionnel, public, culturel, ouvert à tous. Le projet de François Pinault, présenté en 1999, dépassait les espoirs les plus fous. Il proposait de construire un bâtiment superbe, signé par le brillantissime architecte japonais Tadao

Ando, Pritzker Prize[1], un des meilleurs du monde.

François Pinault finançait tout, il engageait 150 millions d'euros, achetait le terrain, apportait la plus importante collection d'art contemporain en Europe (3 000 œuvres), assurait la construction et l'exploitation. Une aubaine dans une France riche en déficit public et pauvre en grands projets urbains. Un miracle pour la commune de Boulogne et pour l'île Seguin. La seule condition posée par François Pinault : un temps raisonnable. Il souhaitait pouvoir être en mesure de déposer le permis dans un délai de cinq ans. Vu de l'an 2000, il y avait de la marge pour mener débats, enquête publique, délibérations, et arrêter un PLU permettant la réalisation de l'ouvrage.

Confiante, l'équipe de François Pinault s'engagea à fond dans l'élaboration du projet. Près de 20 millions d'euros furent dépensés en études. Pendant ce temps le processus administratif se hâta lentement, comme la tortue de la fable, jusqu'au jour où, à la mi-2004, trois associations de riverains

---

1. La plus haute distinction mondiale de l'architecture, équivalent du prix Nobel.

déposèrent un recours contre le PLU fraîchement adopté.

À la date du 28 février 2005, arrêtée comme butoir dans la promesse de vente, le PLU n'était donc toujours pas devenu définitif.

Après cinq ans, François Pinault abandonna, conformément à ce qu'il avait écrit. En mai 2005, il signa une tribune dans *Le Monde* intitulée « Je renonce » et dans laquelle il expliquait que cinq années « d'enlisement administratif » sont venues à bout de son entêtement de Breton. Cinq mois plus tard, c'est Venise qui accueillait la formidable collection dans le Palazzo Grassi. Cinq mois contre cinq ans... Ou plus d'ailleurs, car François Pinault savait qu'une fois le PLU approuvé, ce serait au tour du permis de se faire attaquer, puis il faudrait faire les aménagements publics. Rien n'aurait pu ouvrir avant 2010 ou au-delà. Nous y sommes d'ailleurs dans l'au-delà de 2010. Et sur l'île Seguin, il n'y a toujours rien. On continue à réfléchir, à discuter, à dépenser de l'argent public.

Sous le feu des critiques, en 2005, le maire de Boulogne (de l'époque), auquel on a beaucoup reproché de ne pas s'être donné les moyens de réussir, se défendait en exprimant sa vision du temps : le retrait de la Fondation Pinault « va nous obliger à modifier notre organisation, nous allons nous donner du temps (...). Je ne réagis pas comme un homme d'affaires. L'urbanisme est quelque chose de long et la décision de monsieur Pinault n'affecte pas le programme d'urbanisme des anciens terrains de Renault qui va commencer d'ici à la fin de l'année[1] ».

Et le temps, on s'en est beaucoup donné, car en 2012, sept ans après le rejet du projet, on attend toujours. La seule chose que l'on sait aujourd'hui, c'est que rien n'ouvrira avant 2016 *a minima*. S'il n'y a pas de recours, une cité musicale verra le jour à cette échéance. Vingt-quatre ans après la fermeture de l'usine. Et aux frais du contribuable, cette fois-ci.

Le cas de Vélizy 2 est aussi illustratif. Depuis trente ans, ce centre commercial de l'ouest parisien connaît un succès tel qu'il provoque des embouteillages réguliers et massifs sur la N118. La solution est connue, étudiée et facile à mettre en œuvre : créer une connexion de raccordement avec l'A86. Un ouvrage de 25 millions d'euros qui permettrait à tous les salariés des entreprises

---

1. Conférence de presse du 10 mai 2005.

qui ont leur siège sur le plateau d'accéder dans des conditions normales de confort à leur lieu de travail. Pour l'État, l'enjeu serait de désenclaver les terrains qui bordent la route militaire de Villacoublay et de valoriser à terme un important patrimoine foncier. De son côté le centre commercial pourrait être rénové, avec un passage aux normes HQE[1] et une extension génératrice de milliers d'emplois. Bref, un projet simple, consensuel, environnemental et surtout urgent pour des milliers de gens. Après des années de discussions avec les acteurs publics et une participation financière privée considérable, tout semble enfin prêt. Je croise le maire désespéré : « Il faudra compter encore un an de plus. Nous sommes soumis à l'étude d'impact... » Traduction : douze mois d'attente supplémentaire (quatre saisons complètes), pour déterminer si les vingt mètres de talus entre le parking de Vélizy 2 et l'autoroute A86, placés sous l'axe des pistes de l'aéroport de Vélizy-Villacoublay, n'abriteraient pas des espèces rares méritant une protection rapprochée. L'après-midi même, je me retrouve dans le bureau d'un préfet de région et lui raconte notre histoire d'étude

---

1. Haute qualité environnementale.

d'impact sur le bord de l'autoroute. Il me lance désabusé : « Vous avez tout compris de ma mission... Tous les jours on nous demande d'aller plus vite ; mais tous les jours, on invente des réglementations qui nous ralentissent un peu plus. »

Dans la palette des autorités qui ont le pouvoir de retarder ou d'empêcher, celle des Architectes des Bâtiments de France – ABF – demeure certainement la plus redoutée des maîtres d'ouvrage et des entrepreneurs. Certes, sur le papier, l'ABF dispose d'un temps limité pour se prononcer sur un projet. Certes, son avis est plus souvent consultatif que conforme. Mais, dans les faits, passer outre à un avis négatif de l'ABF est presque impossible. À Paris tout est classé. Ailleurs, cela fragilisera beaucoup le dossier et accroîtra les risques de contentieux. Et si vous brusquez l'ABF, dans les délais réglementaires prévus, vous avez toutes les chances de recevoir un avis négatif, contre lequel il n'existe presque aucune possibilité d'appel, si ce n'est un appel devant le préfet que personne n'utilise, par crainte de représailles ou manque de foi en son indépendance. C'est un pouvoir un peu absolu qui rappelle l'Ancien Régime. Pour faire simple, si vous brusquez les choses et exigez une décision dans les délais légaux, vous avez toutes les chances d'obtenir un avis négatif. Si vous voulez un avis positif, il faudra négocier avec l'ABF... le temps qu'il faudra. Évidemment l'ABF sait que le temps vous est compté, c'est sa grande force.

À titre personnel, je me souviens de l'affaire du siège de Cartier à la cité du Retiro, située à proximité de la place de la Madeleine à Paris. Ricardo Bofill, un des rares architectes à avoir figuré sur la page « architecture » du petit Larousse, s'était vu refuser une dizaine d'itérations sur son projet de façade de la rue Boissy-d'Anglas. Comme le temps pressait, Ricardo avait fini par lancer à l'ABF, médusé : « Monsieur l'architecte des Bâtiments de France, cela fait six mois que cela dure. Rien ne convient jamais. J'abandonne... Voilà un feuille et un crayon, dessinez donc vous-même ce qui vous plaira, et je signerai le plan. »

Pour la petite histoire, sur le même projet, la Commission du Vieux Paris (une autre instance de protection du patrimoine, car une seule n'aurait pas suffi) avait appris qu'il existait autrefois un bel hôtel particulier sur ce site bordant la rue du Faubourg-Saint-Honoré. Les Américains, qui étaient passés par là à la sortie de la guerre, avaient rasé le bâtiment pour y construire le QG de leur présence en France, dans le style architectural expéditif que l'on peut imaginer. Lors de la première réunion de présentation du projet Bofill, la commission nous annonça son grand dessein : nous obliger à... refaire la façade de l'hôtel particulier du XVIIIe en grandeur réelle. Rien de plus simple puisqu'ils avaient retrouvé un cliché de début de siècle. Stupeur de l'architecte. Finalement, après des mois de discussion, on nous obligea à produire un pastiche de la façade de l'hôtel particulier, à l'échelle un cinquième. Un coût démesuré pour une œuvre médiocre, placée de surcroît dans un endroit invisible. Mais là encore, nous n'avions pas le choix. C'était le pastiche ou des années de retard à mener un combat inutile. Le maire de Paris n'aurait jamais signé le permis sans l'avis positif de la Commission du Vieux Paris.

En tant que citoyen, je partage les préoccupations de toutes ces autorités. Ce sont des professionnels très qualifiés et sans eux, il ne resterait probablement pas grand-chose de notre patrimoine. Et à Paris, nous avons la chance d'avoir des ABF éclairés, qui ne renient pas la création architecturale. Mais, dans notre démocratie, c'est un mystère que ce pouvoir s'exerce de manière aussi absolue, dans un calendrier que rien ne vient vraiment contraindre.

Pas seulement une affaire de grands projets

La pression réglementaire n'est pas l'apanage des projets urbanistiques. À vrai dire, tous les pans de l'économie semblent touchés. Les doléances des experts-comptables demeurent à cet égard significatives. Naguère, la profession croulait sous des monceaux de formulaires et se désespérait de devoir livrer chaque année à l'administration toujours plus d'informations sur ses clients, les entreprises. Vint la révolution du numérique et avec elle son cortège d'innovations informatiques, lesquelles devaient *a priori* simplifier tous les processus et donc faire gagner du temps. *A priori*, seulement... Car, paradoxalement, loin d'accélérer les choses, la nouvelle ère les a davantage ralenties. « Les outils sont ultra-performants et pourtant, je perds plus de temps encore, se désole Cécile Millet, la dirigeante de Provexis, un cabinet parisien d'expertise comptable, spécialisé dans les TPE. Je me consume à des tâches annexes inutiles. J'estime actuellement entre 20 et 30 % mon temps de travail improductif : un temps qui ne rapporte ni au client, ni à l'État, ni à mon cabinet ! Difficile de facturer ce temps perdu qui ne génère aucune valeur ajoutée, mais en même temps, difficile aussi à la longue de ne pas le répercuter dans mes coûts fixes, puisque je ne pourrai pas indéfiniment compenser en gagnant en productivité. La dématérialisation des documents et les migrations informatiques qui en découlent patinent faute de réflexion en amont. Aujourd'hui, pour toute société dont le chiffre d'affaires excède 230 000 euros annuels, il nous faut tout télétransmettre. Sauf que pour déclarer la TVA ou l'impôt sur les sociétés, je peux utiliser un système propre à notre logiciel comptable tandis que pour l'IS (impôt sur les sociétés), je dois passer par l'outil du centre des impôts. De même, je commençais à peine à me familiariser avec le système informatique ETEBAC qui permet de récupérer les lignes bancaires d'un client que je vais devoir passer l'an prochain au nouveau format européen, EBICS. Dans un autre registre, on nous a "vendu" la suppression de la taxe professionnelle comme source de simplification. Résultat ? Celle-ci a été rebaptisée puis scindée en deux. La nouvelle CET, contribution économique territoriale, se ventile en CFE (la partie foncière de l'ex-TP) et en CVAE (taxe sur la valeur ajoutée). Du coup, nous récoltons deux déclarations au lieu d'une[1]. »

Il faut dire que les formalités, en France, c'est toujours plus. Par exemple, la liasse fiscale d'une TPE, c'est aujourd'hui trente pages : dix fois ce qui est demandé ailleurs en Europe.

Les grandes entreprises françaises sont certes mieux armées pour faire face à la bureaucratie que les petites. Mais elles sont néanmoins plus que jamais en concurrence avec le reste du monde, et la question du maintien de leur outil industriel dans l'Hexagone dépend de l'intensité des forces de ralentissement qui leur sont ici imposées. Clara Gaymard, qui dirige les intérêts de General Electric en France, n'hésite pas à s'attaquer aux idées reçues. Pour elle, ce ne sont ni les charges sociales, ni les indemnités de licenciement qui freinent l'ouverture d'usine et l'embauche de salariés. Un des principaux handicaps de la France, c'est la durée nécessaire pour faire aboutir

---

1. Entretien avec l'auteur, octobre 2011

un plan social, en cas d'échec du projet industriel.

Les nouvelles activités, notamment dans la haute technologie, sont naturellement plus risquées que celles qui sont établies. Il y a de nombreux succès, mais, inévitablement, il y a aussi des initiatives qui ne fonctionnent pas. En France, ces situations, où il faut battre en retraite, coûtent une fortune, car il faut maintenir l'activité pendant les cinq à douze mois de gestation du plan social et de traitement des contentieux qui l'accompagnent généralement. Pour les salariés cela n'apporte pas grand-chose, si ce n'est le maintien de l'incertitude et le report de l'échéance. Pour l'entreprise, ce temps perdu à maintenir en survie artificielle une activité condamnée prend vite des proportions dramatiques. L'industriel qui s'y est fait prendre une fois n'est pas prêt de revenir s'installer en France. Ailleurs, ces procédures sont à chaque fois plus rapides. Une semaine aux USA ou en Grande-Bretagne. Quinze jours au Danemark, un mois en Allemagne ou en Espagne. Il n'est pas contestable que le préjudice d'un licenciement, qu'il soit collectif ou industriel, doit être justement réparé, par des indemnités et des efforts de reclassement. Et il est aussi nécessaire de préserver le temps suffisant pour la négociation avec les syndicats. Mais là encore, il semble que la France ait dépassé le champ du délai raisonnable, au risque de perdre son attractivité.

De façon plus générale, il est urgent de compter en points de PIB ou en milliers de chômeurs ce que ces normes, imposées aux entreprises, votées une nuit à l'Assemblée nationale ou au Sénat, coûtent à la société. Car, soyons clair, le temps passé à remplir des formulaires, à solliciter des avis de commissions, à respecter telle procédure, c'est du temps en moins pour exporter, vendre et investir, innover et gagner des parts de marché. C'est aussi davantage de pression sur les salariés à qui on demande de travailler plus vite pour compenser ce handicap, sans toujours pouvoir augmenter les salaires. Selon le *Global Competitiveness Report 2011-2012*, la France se situe au 116e rang sur 142 en termes de complexité administrative, et le coût de cette lourdeur représenterait 3 à 4 % du PIB.

Trois pistes à explorer

S'interroger sur la prolifération des normes revient, au fond, à se pencher sur l'abondance des lois. Or la France a une forte propension à légiférer plutôt qu'à négocier. Comment inverser ce processus sclérosant ? Je voudrais formuler ici trois propositions radicales :

Primo, adopter la règle du « un pour un ». La production de la loi doit s'accompagner de la destruction de la loi dans le même domaine. Puisque le législateur conforte la loi mais la rend de moins en moins opérante, il faut donc tarir la source...

Secundo, doter le pays d'une vraie commission d'expertise, d'évaluation et de contrôle. À ce jour, les études d'impact sont confiées aux administrations qui élaborent elles-mêmes les lois. Les interactions avec le privé sont presque nulles, jamais réellement organisées. Ce qui laisse une grande place à l'improvisation et à l'influence des lobbies.

Enfin, tertio, imposer au législateur une étude d'impact temporel qui évalue, pour chacune des nouvelles mesures imposées aux acteurs économiques, le temps perdu, le temps gagné et sa traduction en gain ou perte de croissance. La bureaucratie y serait moins conceptuelle et ses conséquences concrètes pour la vie des entreprises directement mesurables.

4

La justice hors du temps

Une justice administrative plombée par ses recours interminables

« **E**N FRANCE, on a un taux de chômage absurde. Et pourtant, le tribunal administratif, avec sa lenteur, a contribué à tuer le projet. » Combien de fois ai-je entendu cette antienne ? Pourquoi notre vieux pays est-il incapable de concilier respect des libertés individuelles et dynamique collective ? « Il faut savoir que par le jeu de recours gracieux, puis contentieux, des référés, des appels en référé, des jugements sur le fond, des appels des jugements sur le fond, suivis des recours auprès du Conseil d'État, une simple personne ou une association peut bloquer pendant des années un projet sans qu'il lui en coûte grand-chose – pas même en cas de défaite ultime[1] », écrivait

---

1. Jean-Paul Viguier, *Architecte*, Odile Jacob, 2009.

Jean-Paul Viguier en 2009, après que l'un de ses projets à proximité de la cathédrale de Rouen fut une nouvelle fois entravé par des recours.

Ce que l'on veut dire par « des années » ? Quand on est face à un requérant dont l'objectif n'est pas de remporter le procès mais d'enliser la procédure, ce n'est rien de moins que cinq à huit ans par contentieux : deux à trois ans pour le tribunal administratif, deux ans pour la cour administrative d'appel et un à deux ans de Conseil d'État. Cela, c'est pour un seul contentieux. Mais notre complexité administrative préalable offre de nombreuses possibilités de démultiplier les contentieux. On peut attaquer le PLU, la ZAC, la CDEC, l'agrément préfectoral, les travaux d'aménagement... On peut aussi, c'est nouveau, soulever l'exception d'inconstitutionnalité, pour ralentir les choses un peu plus. Et l'exception d'illégalité, elle, permet de s'affranchir de la prescription de l'action contre le PLU, allongeant à l'infini les possibilités de contentieux. Quand on ne peut plus attaquer le PLU (jugé illégal) parce que le délai est passé et qu'il est devenu « définitif », on peut néanmoins attaquer toutes les autorisations, PC et autres, découlant de ce PLU au motif que celui-ci serait vicié à l'origine. C'est l'exception d'illégalité, dans laquelle s'engouffrent la plupart des opposants à un projet et qui fait que la norme supérieure, tel le PLU, n'est de fait jamais complètement définitive et donc éternellement instable. Le résultat de tout cela c'est qu'en France, le champ de contentieux possible contre un même projet dépasse l'entendement.

« Sur le fond, il n'est pas admissible que le système actuel, fait d'empilements juridiques successifs et de processus parallèles, aboutisse en pratique à faire réexaminer la même question quatre ou cinq fois par des entités, des commissions ou des autorités différentes et que chacune de leurs décisions puisse elle-même être attaquée de manière différente[1] », avoue avec honnêteté un associé de Gide Loyrette Nouel, un prestigieux cabinet d'avocats d'affaires de la place parisienne, dont je ne doute pas que cette complexité nourrit aussi ses propres notes d'honoraires.

L'affaire de la Fondation Louis Vuitton illustre les dérives de notre système judiciaire. Le projet dessiné par l'architecte Frank Gehry est unanimement salué lors

---

1. Entretien avec l'auteur, juin 2011.

de sa présentation en 2006. Au bois de Boulogne, à la place d'un ancien bowling, l'ouvrage futuriste, entièrement financé sur fonds privés, a été conçu pour présenter au public une des plus belles collections mondiales d'art contemporain. À l'inverse de ce qui s'était produit à Boulogne pour la Fondation Pinault, le maire de Paris a vite compris qu'il ne fallait pas laisser passer cette chance historique. Il réforme le PLU sans attendre et délivre dans la foulée le permis de construire, le 8 août 2007.

C'est alors qu'intervient monsieur Douady, résidant le XVIe arrondissement à l'écart du site, mais président de la Coordination pour la sauvegarde du bois de Boulogne. Il se dit animé par la seule intention de faire respecter les règles d'urbanisme et s'engage dans diverses procédures judiciaires.

À la surprise générale, le 20 janvier 2011, trois ans et six mois après son obtention, le tribunal administratif de Paris annule le permis et exige l'arrêt immédiat des travaux. On est en plein chantier, quatre cents ouvriers se retrouvent au chômage. La stupéfaction est totale. Le motif d'une mesure aussi radicale ? La proximité d'une voirie désaffectée qui n'aurait pas posé de problème dans le PLU, si ce n'est que celui-ci avait été annulé par le Conseil d'État et qu'on était revenu à l'ancien PLU. Tout le monde se mobilise. Jean Nouvel dénonce « l'individualisme pervers et aveugle, l'incivisme et l'inculture ». Les députés, UMP et PS confondus, finissent par classer le bâtiment d'utilité publique pour permettre la reprise des travaux en vue d'une livraison en 2013. Ici l'histoire finit bien. Mais pour un projet sauvé par l'Assemblée nationale, combien sont échoués devant les tribunaux, à titre temporaire ou définitif ? Comment est-il possible que notre système judiciaire permette l'annulation d'un permis trois ans et demi après sa délivrance alors que le chantier bat son plein ?

Partout dans notre pays les contentieux fleurissent. 325 recours furent déposés par un collectif de riverains de Boulogne et du XVIe arrondissement de Paris contre le réaménagement du stade Jean-Bouin par le brillant architecte Rudy Ricciotti (seulement 20 000 places). Des recours systématiques contre chaque projet de logement social des XVe, XVIe et XVIIe arrondissements selon la directrice de l'Urbanisme à la Ville de Paris. 70 % de permis octroyés en 2010 à Marseille attaqués en justice, selon le président de la Fédération des promoteurs immobiliers.

Former un recours en justice semble être devenu un sport national, une figure imposée. Et cette pluie de recours est à l'évidence une des grandes causes du ralentissement collectif. La loi est ainsi faite qu'un plaignant acharné et bien conseillé a la faculté de bloquer un projet architectural pendant des années, quand bien même sa requête demeure infondée sur le fond. Jean-Paul Viguier ajoute : « Des avocats se sont spécialisés dans cet exercice pervers dont le but est d'empêcher la construction, leur travail étant facilité par la complexité – je suis tenté d'écrire l'illisibilité – des documents d'urbanisme. Il m'est arrivé d'être confronté à des situations où ceux-là mêmes qui les avaient rédigés étaient incapables de les appliquer. Un régal. »

En France, le malaise juridique tient en fait à la combinaison de deux éléments : primo, la possibilité pour le plaignant d'allonger à volonté les délais judiciaires, secundo, la quasi-gratuité du ticket d'entrée, à laquelle s'ajoute la quasi-immunité des requérants.

Nos tribunaux administratifs sont en effet particulièrement perméables aux stratégies de ralentissement qu'une partie au procès peut vouloir conduire. C'est ainsi qu'un bon avocat vous demandera d'abord si vous êtes pressé ou non d'obtenir le jugement. En d'autres termes, le temps joue-t-il pour vous ou contre vous ? Et si vous ne souhaitez que ralentir les choses, alors ce même avocat jouera la montre au maximum, distillant la production de mémoires successifs, à raison d'un par trimestre, qui chacun demandera réponse de l'autre partie, reculant d'autant la conclusion. Ce petit jeu pouvant durer deux ans ou plus, au bon vouloir d'un juge qui n'a pas toujours conscience qu'en autorisant ces délais, il pénalise en fait déjà la partie « défenderesse »... avant même d'avoir jugé !

Contester en justice ne coûte presque rien. Généralement, le particulier mécontent sera secondé par une association, laquelle prendra en charge les frais de dossier et les honoraires d'avocats, lesquels, parfois, travaillent gratuitement quand l'affaire leur semble suffisamment retentissante pour conforter leur notoriété. L'entreprise qui s'estime menacée par l'arrivée d'un rival pourra, si elle ne souhaite pas apparaître, utiliser un collectif qu'elle financera en sous-main. Dans tous les cas de figure, au regard des sommes en jeu sur certains projets, le coût de l'obstruction sera forcément dérisoire pour le plaignant et considérable pour l'auteur du projet. Il y a là une deuxième injustice.

La notion de recours abusif existe pourtant en droit français. Las ! Cette disposition n'est quasiment jamais appliquée. « C'est bien simple, moi, en dix ans d'activité, je ne l'ai jamais vue[1] », ironise le directeur juridique d'un grand groupe de services du CAC 40. Et lorsqu'elle l'est, la pénalité plafonnée à 3 000 euros n'est pas suffisamment dissuasive. Pire, les frais d'avocats, dont on peut obtenir remboursement en cas de victoire, sont évalués par le juge de manière forfaitaire *ne varietur* depuis des décennies : il en coûtera au plus 1 500 euros en premier ressort ! Ce montant est sans rapport avec les coûts engagés pour se défendre.

En Allemagne, une démocratie où les libertés publiques comptent, tout recours nécessite une caution. Mécaniquement cela tempère les ardeurs des fantaisistes. Dans d'autres États de droit, le plaignant qui a manifestement instrumentalisé la justice pour ralentir les choses supporte tout ou partie du coût du préjudice qu'il inflige s'il est débouté de son action.

Et à défaut on pourrait au moins chiffrer

---

1. Entretien avec l'auteur, octobre 2011.

le coût du traitement d'une affaire et le faire endosser par le plaignant vaincu. « Vous avez perdu ? Vous devez tant ! » « Avec une comptabilité analytique un peu sérieuse, m'explique un haut magistrat du tribunal administratif de Paris, ce devrait être techniquement possible, bien que l'on puisse craindre qu'une cour suprême ne s'y oppose au motif qu'un tel dispositif serait contraire au principe d'un "État de droit"[1]. »

La vaste diversité des auteurs de contentieux

La typologie des opposants spécialisés dans ce type de recours dessine trois profils distincts :

Il y a tout d'abord le « recours crapuleux ». Le requérant est là pour l'argent. Il est prêt à tout instant à monnayer son recours. Il s'est constitué artificiellement un droit à agir et joue la lenteur judiciaire contre espèce sonnante et trébuchante. La partie est sans risque dans un pays où le recours abusif n'est pas sanctionné. Elle est même encouragée par le fisc : les indemnités

---

1. *Ibid.*

transactionnelles ou judiciaires qui constituent le butin ne sont pas fiscalisées !

Secundo, moins grave sur le plan moral, mais plus handicapant pour la démocratie, est le « recours politique ». Nous sommes là devant des oppositions municipales – telle la droite au conseil de Paris contre le projet du Forum des Halles, ou la gauche à Courbevoie contre les sujets de la Défense – qui se servent de la justice comme tribune publique, afin de contrer le maire en place. Peu importe le fondement et les chances de succès, l'idée est de « faire du buzz », d'occuper le terrain, sans grand risque. Ce phénomène est finalement assez récent. Autrefois, cela ne se faisait pas, sauf illégalité manifeste. Cette guérilla judiciaire nouvelle demeure très dommageable pour l'ensemble de l'action publique. Sans compter qu'elle se révèle assez inefficace politiquement, puisque avec le jeu de l'alternance récurrente, la majorité d'un jour deviendra l'opposition de demain et inversement, si bien que tous les coups seront rendus... une fois encore sur le dos des projets, de l'emploi et du progrès.

Enfin, tertio, le recours fondé, somme toute assez rare en réalité. Il s'agit là des vraies « victimes possibles » des projets. Pourquoi plus rare ? Parce que ces personnes, dont l'appartement ou la maison peuvent être brutalement dégradés du fait d'une vue gâchée ou d'une accessibilité amoindrie, sont généralement identifiées en amont par les développeurs, publics ou privés.

Il nous est même arrivé de porter plainte contre une décision du maire que nous jugions particulièrement inéquitable. C'était dans le sud-ouest de la France. En l'occurrence, un maire nous avait refusé une extension de notre centre commercial pendant dix ans au prétexte de défendre son petit commerce de centre-ville. Tout cela était respectable jusqu'au jour où nous avons lu qu'il autorisait le géant suédois IKEA à créer un méga-centre commercial, avec cent boutiques et un Carrefour, à cinq minutes du nôtre, sans pour autant revenir sur son refus de nous voir nous agrandir. Deux poids, deux mesures et un favoritisme mortifère pour nos commerçants. Nous n'avions plus d'autres solutions que le recours.

Dans ce type de situations, où le recours est fondé, s'engage généralement une négociation, où rarement les parties ont intérêt à ce que les choses traînent. Le projet est modifié, les solutions trouvées et les préjudices indemnisés. Au final, la plupart du temps, tout le monde y trouve son compte.

Accélérer le temps de traitement des recours, sans les expédier

Dès lors, comment désengorger les tribunaux sans ruiner l'idéal républicain de libre accès à la justice ? Comment concilier notre impératif de libertés publiques avec le tempo des urgences sociales, environnementales et économiques du pays ?

Une des solutions les plus simples serait de doter chaque tribunal administratif d'une chambre spéciale, chargée d'examiner les affaires à fort impact collectif : logement social, projet de plus de 10 millions d'euros et/ou avec plus de cinquante emplois induits ? J'y verrai un double avantage : préserver le socle démocratique tout en faisant montre d'un certain pragmatisme.

Car aujourd'hui, que constate-t-on ? Les tribunaux sont au bord de la thrombose car les requêtes ne sont presque jamais ventilées selon leur nature. En clair, le même magistrat traite dans le même temps les contentieux de l'urbanisme (qui représentent environ 6 % du contentieux administratif total) et les demandes de droit au logement opposable, de carte de séjour ou de reconduite à la frontière. Évidemment, ces dernières affaires sont plus urgentes, par principe. Rien qu'au tribunal administratif de Paris, le plus emblématique parce que le plus représentatif, plus de la moitié des 20 000 requêtes annuelles concernent le sort des étrangers sur notre sol. 2 000 autres environ relèvent du fameux « droit au logement opposable », une usine à gaz selon les spécialistes. Enfin, la grande majorité des requêtes restantes – environ 7 000 – concerne les contentieux de la fonction publique et les redressements fiscaux. L'urbanisme n'est qu'une branche mineure de l'activité des tribunaux. Et un dossier immobilier n'est jamais un dossier urgent pour le tribunal qui ne voit pas de grand impératif social derrière ces projets. Dans la guerre des priorités, les projets d'équipement ont perdu d'avance. Ils sont plus complexes et moins urgents : ils ont tout pour attendre.

Deuxième idée : éviter l'émiettement des moyens et redonner au juge la maîtrise du calendrier. Éric Ranjard, ancien patron de la Ségécé, grand promoteur de centres commerciaux, décrit la procédure actuelle : « Pour attaquer un projet aujourd'hui, il suffit pour commencer de donner au tribunal un ou deux "moyens", c'est-à-dire des arguments contre l'autorisation administrative qui justifient, selon le plaignant, son annulation. Sur la forme, vous pourrez arguer que le document n'est pas signé comme ci ou qu'il n'est pas tamponné comme ça. Sur le fond, vous pourrez avancer que le bâtiment n'est pas assez ceci ou trop cela, etc. Par la suite l'ajout des moyens peut être réitéré un grand nombre de fois. Et la défense produira à chaque fois un mémoire en réponse. Les pièces transitent par le greffier, qui les transmet ensuite au magistrat. Là encore, perte de temps. Pour chaque nouvel assaut du requérant, c'est un ou deux trimestres de plus. Et ainsi de suite jusqu'à ce que le juge, lassé, consente à clôturer cette phase préliminaire en n'acceptant plus aucun moyen supplémentaire. »

Comme le résume maître Philippe Lefèvre, du cabinet d'avocats Lefèvre, Pelletier & associés, « dans le contentieux administratif, ne figure nul calendrier de procédures figées. Les délais régissent le dépôt des requêtes mais pas le traitement de l'affaire dans la durée. Contrairement au civil, il n'y a pas de juge chargé de la procédure qui fixe une date limite ».

Auparavant, le requérant avisé aura bien entendu épuisé, par une simple lettre adressée au préfet, les charmes du recours gracieux, lequel enclenche une mécanique de six mois minimum[1]. Dans les affaires lourdes, le recours gracieux, qui n'a aucune chance d'aboutir, est en fait instrumentalisé en tant que sursis offert avant le contentieux, pour préparer sa parade, lever des fonds ou lancer le début d'une conciliation avec le demandeur du permis. En clair, le recours gracieux est lui aussi une simple manœuvre dilatoire.

Ces délais sont très déconnectés de la réalité du rythme des affaires et de la productivité possible des avocats et directions juridiques. Il est établi qu'un mois est très largement suffisant pour constituer un mémoire en attaque ou en défense. Généralement, les échanges de mémoires se déroulent en deux ou trois sets : requête-défense, réplique-duplique et, éventuellement, un complément ultime !

Pour arriver à un jugement de première instance en un an au lieu de deux ou trois, il suffirait d'obliger le requérant à verser en une fois l'intégralité de ses « moyens » (ses motifs de contestation) dans un délai de deux mois à compter du dépôt de

---

1. Si le requérant demande en outre le bénéfice de l'aide juridictionnelle, la procédure est suspendue le temps qu'il l'obtienne ou non.

sa requête. Dans le même temps on pourrait rendre irrecevables les moyens de fond qui ne seraient pas en rapport avec l'intérêt à agir. Dans ce schéma, pour contester un projet en raison d'une vue endommagée ou d'une ombre portée, vous devez compter au nombre des victimes des faits reprochés. Ce qui n'est pas le cas aujourd'hui. Une telle mesure permettrait de ramener un peu de bon sens dans le débat judiciaire. On pourrait aussi supprimer ou limiter – sur ces sujets d'urbanisme – l'emploi des exceptions d'inconstitutionnalité ou d'illégalité, qui sont autant de sources d'infinies contestations et d'interminables remises en cause. L'urbanisme doit pouvoir s'appuyer sur des normes « définitives ».

Une autre voie à explorer, afin de pallier les effets calamiteux des manœuvres dilatoires pour retarder un projet, réside dans la généralisation des annulations partielles. Le promoteur obtiendrait son permis sous réserve de corriger dans un délai imparti la ou les parties non conformes. Ce faisant, on ne bloquerait pas un chantier colossal pour une infime contestation. Aujourd'hui, c'est beaucoup trop souvent le « tout ou rien ». Votre permis doit être parfait pour être valide. La moindre faute, fût-ce sur un point très mineur, risque de le faire tomber. Cette disposition, qui existe bel et bien en droit depuis 2007, n'a été étrennée qu'en février 2011 par le Conseil d'État. Reste donc à la populariser à tous les échelons...

De même, on peut imaginer un système de purges intermédiaires à intervalles réguliers où un juge validerait des pans du projet à différents moments charnières du dossier. En langage technique, cette disposition s'assimilerait à une sorte de rescrit juridique. Dans le même ordre d'idées, ne serait-il pas temps d'introduire dans notre droit administratif la notion de « référé défensif[1] » pour ne pas plomber les permis à forts enjeux économiques ? Ce faisant, le titulaire du permis de construire attaqué – le défendeur – solliciterait d'un juge l'examen au fond et en urgence de la contestation. Ce serait là un référé à l'envers, le pendant du référé suspensif, actuellement aux mains du requérant.

Pour finir, il est nécessaire d'examiner une question essentielle : le moment auquel

_____

1. Cette idée n'est pas nouvelle mais n'a encore jamais été adoptée. Elle figurait déjà dans un rapport remis au Premier ministre en 2005.

intervient le recours. En France, le contentieux se déclenche au pire moment, juste après la délivrance du permis de construire. Pourquoi chercher à torpiller un projet après que tous les obstacles réglementaires ont été surmontés ? C'est à la fois pernicieux et contre-productif. Parce qu'il ne peut en contester la légitimité, un requérant doit en effet cibler la légalité du permis qu'il dénonce. Du coup, le requérant en est réduit à traquer les plus petits écarts à la règle, cibler les interstices défectueux du projet. La démarche se veut donc vétilleuse à défaut d'être morale. De son côté, le bénéficiaire du permis cherchera au contraire à déceler les raisons inavouées qui ont motivé le recours du requérant, avec deux options possibles : soit le discréditer en montrant qu'il est obnubilé par ses intérêts propres ; soit négocier avec lui une sorte de paix armée en offrant des compensations qui ne nuisent pas au projet d'ensemble. Ce peut être ici un parking, là un espace vert.

Aux États-Unis, en revanche, existent les *hearings*, sortes de consultations-arbitrages, qui se déroulent à différentes étapes clés de l'élaboration d'un projet. Tout commence par un *local hearing* où le promoteur décroche ou non une première autorisation.

Puis, en cas de succès, ce dernier enchaîne par une deuxième phase, le *city hearing*, avant de boucler son parcours par un *regional hearing*. Ce mécanisme consultatif qui procède par cercles concentriques – du plus proche au plus éloigné – reste condensé dans le temps puisque l'ensemble n'excède généralement pas six mois. Une fois obtenu le feu vert du *regional hearing*, la procédure est automatiquement entérinée. Plus de recours possible. Mieux. À chaque échelon, les questions changent. Au *regional hearing*, on ne vous interpelle plus sur la hauteur, ni l'emplacement du bâtiment ! Au final, le temps de concertation est respecté et le temps du contentieux strictement encadré. Dans bon nombre de pays, en Suède ou en Suisse notamment, une fois le permis de construire jugé conforme, on peut construire sans risquer derrière de devoir tout démolir. La question du préjudice subi par tel ou tel particulier est dissociée de celle de la légalité de la procédure. En somme, on se montre prêt à indemniser mais sans invalider le projet.

Des moyens pour la justice

Enfin, on ne peut que déplorer le manque de moyens de notre justice administrative. Face à des affaires d'une grande complexité et d'une urgence économique avérée, le dispositif judiciaire mis en place intrigue par son indigence : des juges rarement spécialisés, trop peu nombreux. Une absence de calendrier. Une procédure, écrite sur papier, avec passage obligé par le greffe du tribunal pour toute communication entre les avocats, les juges, etc.

Il serait probablement temps de donner à ces tribunaux l'outillage à la mesure de leurs responsabilités. Des centaines de milliers d'emplois, des centaines de millions de recette publique, des dizaines de milliers de logements souffrent des délais qu'impose, entre autres facteurs, le manque de moyens de notre justice administrative.

Conclusion partielle

À ce stade, on ne peut que dresser un constat accablant de notre organisation :

1) Primo, la machine à produire des normes s'est emballée. C'est la réponse française à

tous les enjeux modernes (sécurité, écologie, etc.) passés à la moulinette du principe de précaution. Le coût associé en matière de perte de temps collectif et de croissance n'est jamais évalué.

2) Secundo, notre construction administrative est en situation d'échec : malgré une complexité et une sophistication exceptionnelles (qui sont notamment la conséquence de la décentralisation), malgré une multiplication considérable d'autorités chacune compétente pour l'exercice d'un contrôle pointu, elle ne diminue pas le nombre de recours, tandis qu'elle ralentit considérablement l'action publique et privée.

3) Tertio, les processus de concertation, de débat et d'enquêtes publiques, très chronophages, accroissent les oppositions et favorisent le contentieux au lieu de le diminuer, sans améliorer vraiment la qualité des projets.

4) Quarto, les tribunaux sont totalement instrumentalisés. On s'en sert pour retarder ou vociférer, davantage que pour faire dire le droit. Leur lenteur est monétisée. Leur horloge interne, très déconnectée du temps économique et politique moderne, provoque des dégâts collatéraux qui desservent le pays sans servir la justice.

5

Les (nombreux) perdants

La croissance sacrifiée

LE PIB N'EST QU'UN RATIO : au numérateur, la production de biens et services ; au dénominateur, la durée. En clair, si la France produisait en 355 jours ce qu'elle réalise en 365, elle renouerait *de facto* avec une croissance de 3 %. Dix jours seulement de gagnés sur une année... À l'inverse, si on ralentit, si on prend son temps, le dénominateur augmente et la croissance diminue. C'est aussi simple que cela. Notre système économique s'apparente au fond à un rapport au temps, où s'établit une corrélation entre la contraction du temps unitaire et l'augmentation des volumes. Or, en période de crise, sacrifier le dénominateur au moment où le numérateur se réduit, c'est juste une absurdité économique.

« Pardonnez-leur, parce qu'ils ne savent pas ce qu'ils font. » Au risque de parodier l'Évangile selon saint Luc, tout porte à croire que beaucoup de ceux qui font perdre du temps n'ont pas forcément conscience des dégâts collatéraux qu'ils provoquent. Chaque jour, le temps comme agrégat économique est ainsi bafoué en toute impunité. Mais qui s'en soucie ? Notre système de décision publique, autrefois force de centralisation et d'accélération, ignore aujourd'hui (sauf pression médiatique majeure) l'impératif du calendrier. C'est comme si le temps était gratuit. À cela s'ajoute la complicité de certains acteurs privés, heureux que rien ne change tant leur position est dominante. Au total, le coût réel de la perte de temps n'est presque jamais facturé. Or celle-ci demeure précisément une grande source d'appauvrissement, de désespoir social et de sous-performance environnementale.

En France, la pédagogie du manque à gagner lié aux délais démesurés reste encore une idée neuve, une voie à explorer. N'est-ce pas Benjamin Franklin qui assenait pourtant au milieu du XVIIIe siècle : « Quand le temps, c'est de l'argent, la vitesse devient un impératif absolu et incontournable pour les affaires[1] » ? Les notions d'accélération et de croissance ne sont-elles pas si étroitement liées qu'on mesure le rythme de l'économie à son taux de croissance et qu'on assimile les périodes de récession à des ralentissements ? Malheureusement, pour bon nombre d'élus locaux, l'économie et l'inévitable rapport au temps restent encore *terra incognita*.

De nombreux politiques tiennent un raisonnement spécieux. Ils cultivent en effet une vision naïve et malthusienne de l'économie. Ce qui ne se fait pas à un endroit se fera bien ailleurs ! Faute de la Défense, on se consolera à Marne-la-Vallée ou bien aux Ulis. Ils pensent en somme nulle, comme s'ils étaient face au gâteau fini de la consommation ou de l'investissement. Sans doute imaginent-ils que les délais qu'ils infligent aux uns et aux autres ne pèseront pas dans le PIB global puisqu'ils auront

---

1. « Souviens-toi que le temps, c'est de l'argent. Celui qui, pouvant gagner dix shillings par jour en travaillant, se promène ou reste dans sa chambre à paresser la moitié du temps, bien que ses plaisirs, que sa paresse, ne lui coûtent que six pence, celui-là ne doit pas se borner à compter cette seule dépense. Il a dépensé en outre, jeté plutôt, cinq autres shillings. » (Benjamin Franklin, *Advice to a Young Tradesman*, 1748.)

permis à un autre joueur, généralement en place, de continuer à prospérer. Avec ce raisonnement, notre économie n'aurait jamais atteint son niveau de richesse. Pour que la pompe fonctionne, il faut de nouveaux projets, porteurs d'investissement, de taxes et d'emplois. Le bénéfice collectif induit par la nouveauté couvre de multiples fois les dégâts possibles pour l'économie ancienne. Dans neuf cas sur dix, c'est un bien, une création de richesse, pas un déplacement de richesses. Et, qu'on le veuille ou non, la croissance se nourrit ardemment de ce cycle permanent de création et de destruction de grands équipements industriels et commerciaux.

À l'intérieur de ce cycle, chaque délai crée une perte en ligne de richesse collective largement irrattrapable. L'argent d'un projet gelé est très rarement réaffecté à un autre et en tout état de cause beaucoup plus tard. Une banque accorde une ligne de crédit sur un dossier particulier, rarement *ex nihilo*. L'investissement différé n'est généralement pas reconductible. Le *momentum* est cassé.

Les pouvoirs publics français n'ont pas la culture du temps économique. Pour une trop grande partie d'entre eux, de droite comme de gauche, le temps court, c'est le monde de l'argent, du profit rapide. Car en France, le profit, pour être noble, doit être lent. Sinon c'est celui du « nouveau riche » ou pire du « spéculateur ».

À l'étranger, notamment dans le monde anglo-saxon, mais aussi en Europe de l'Est ou en Espagne, les décideurs publics ont compris que le développement économique était synonyme de création de richesses et donc d'emplois. Ils ne sont pas plus irresponsables que chez nous : ils cherchent aussi à en canaliser les dérives. Mais on sent, derrière chaque projet, un véritable accompagnement. Une volonté de pousser à la roue la machine administrative pour qu'elle aille plus vite.

Pour un chef d'entreprise, le temps est en effet un *input* essentiel, au même titre que les compétences de ses salariés, les matières premières ou la qualité du produit. Le temps qui passe se traduit par une inversion des sens de valeur : soit il rapporte, soit il fait perdre de l'argent. Le temps crée ou détruit de la richesse. Le temps de l'entrepreneur est compté. C'est une ressource rare, irremplaçable et non renouvelable, qu'il doit optimiser. Il ne peut se permettre de tergiverser, soupeser indéfiniment. Son efficacité dépend en partie de « sa capacité à faire économie de temps[1] », analyse Laurent Batsch, docteur ès sciences de gestion, professeur et président de l'université Paris Dauphine. « Le temps est précieux, infiniment, car chaque heure perdue est soustraite au travail qui concourt à la gloire divine », énonçait déjà il y a plus d'un siècle Max Weber dans son célébrissime traité *L'Éthique protestante et l'esprit du capitalisme.*

Le temps perdu s'inscrit dans un modèle inversé qui n'est pas immédiatement perceptible par le citoyen : le plus souvent la non-décision ou la décision différée se traduisent non par de la destruction de valeur immédiate mais par une perte d'opportunités. C'est du potentiel de croissance non converti. Or, à l'heure de la mondialisation, dès lors que la concurrence ne saurait être pure et parfaite entre les entreprises, toute négation du temps par l'un ou l'autre des maillons de la chaîne se traduit immédiatement par des parts de marché en moins. C'est se montrer bien naïf que de croire que l'on peut impunément perdre du temps. « Aller vite ou n'être pas », telle est, qu'on le déplore ou non, la nouvelle maxime du monde

---

1. Laurent Batsch, *Temps et sciences de gestion,* Economica, 2002.

ultra-concurrentiel et mondialisé dans lequel nous vivons.

Tous les projets bloqués ou ralentis dans les interminables méandres des démarches administratives ou des procédures contentieuses constituent un manque à gagner considérable pour l'économie française. Pour notre seul groupe, c'est près de deux milliards d'euros d'investissement, soit une vingtaine de millions d'heures de travail – pour l'essentiel non délocalisables –, qui attendent patiemment les décisions de justice. Personne n'a fait le compte, mais à l'échelle du pays, la double peine de la lenteur bureaucratique puis judiciaire, formidable ralentisseur d'investissement public et privé, est probablement responsable de centaines de milliers de chômeurs et de milliards de déficit public.

J'ai écrit à Christine Lagarde, alors ministre de l'Économie et des Finances, pour l'alerter. Elle m'a répondu par une gentille lettre renvoyant à des réformes futures de simplifications administratives. En *off* son cabinet m'a avoué que le sujet était complexe car il impliquait plusieurs ministères, dont la Justice et l'Équipement... En attendant, de l'éleveur de bovins à l'industriel audacieux, du maire-bâtisseur de logement

112

social au promoteur hôtelier, il faudra s'armer de patience.

Moins de ressources fiscales

À l'heure où l'État cherche à économiser le moindre million pour stabiliser sa note de crédit chez Standard & Poor's, il paraît inconcevable – sinon suicidaire – de se priver délibérément d'une manne salvatrice. Or il se trouve que les grands projets, du fait de leur contenu immobilier, sont particulièrement générateurs de taxes.

Depuis l'aube du temps fiscal, et partout dans le monde, l'immobilier, par essence non délocalisable, est l'objet de toutes les attentions fiscales.

Déjà, à la tête de l'Empire romain, César créa un impôt sur les fenêtres, l'*ostiarium*, ainsi que sur le nombre de colonnes en façade, le *columnarium*. En France, c'est en 1296 que Philippe le Bel a créé le premier vrai impôt immobilier, le « centième », soit 1 % sur le patrimoine et les revenus. Parmi les quatre « vieilles » établies pendant la Révolution, trois concernent aussi l'immobilier : la contribution foncière sur tous les terrains, la contribution mobilière sur les rentes et l'impôt sur les portes et les fenêtres créé par le Directoire.

Depuis, la créativité fiscale a prouvé qu'elle n'avait pas de limite : taxe départementale pour le financement des conseils d'architecture, d'urbanisme et d'environnement, taxe départementale des espaces naturels sensibles, redevance d'archéologie préventive pour tous travaux en sous-sol, redevance pour le Grand Paris, taxe spéciale d'équipement de la Savoie pour financer les infrastructures créées lors des Jeux olympiques, etc.

Plus généralement, les revenus des fonciers, les taxes pour la création de bureaux ou de commerces, les taxes de surdensité dans tel ou tel périmètre, la TVA, l'impôt sur les sociétés des entreprises du bâtiment et de l'équipement, les cotisations sociales pour tous les salariés, représentent en cumulé sur l'ensemble du territoire des milliards d'euros pour la Nation. Geler pendant des années tel ou tel programme urbanistique d'ampleur revient à différer d'autant de substantielles rentrées d'argent frais au détriment de tous. La tour Phare, une œuvre architecturale majeure de la Défense, bloquée devant les tribunaux, rapportera à elle seule à l'État et aux collectivités locales 30 millions d'euros lors du lancement de sa construction (TVA,

114

taxe foncière sur terrain non bâti, taxes d'urbanisme liées au permis de construire et redevances au titre de la création de bureaux en Ile-de-France) puis 11 millions par an durant tout son cycle de vie (taxe foncière sur terrain bâti, contribution économique territoriale, taxe bureaux et concession parkings, taxe « Grand Paris »). Au total, l'ouvrage permettra de récolter quelque 220 millions, et encore n'intègre-t-on pas dans ce calcul le prix de l'achat du terrain auprès de l'Établissement public d'aménagement de la Défense.

Face à ces 30 millions d'euros de ressources fiscales, ne pourrait-on pas dédier un juge à mi-temps pendant un an pour juger en douze mois au lieu de trente ?

Du point de vue strictement fiscal, nos pouvoirs publics ont fait jusqu'ici un bien mauvais calcul – en fait ils n'en font aucun, je crains – à ne pas créer les conditions d'une accélération des processus administratifs et judiciaires.

Une démocratie bafouée

Je place notre démocratie au premier rang des victimes de notre ralentissement collectif. Alors qu'il y a encore une trentaine d'années, un mandat électif permettait de réaliser de grands projets, c'est aujourd'hui très largement illusoire. Le temps de la bureaucratie préalable auquel s'ajoute celui des recours judiciaires prive l'élu du bénéfice de ses ambitions. Qu'il s'agisse de logements sociaux, d'équipements collectifs ou de projets d'aménagement, le maire bâtisseur aura bien peu d'occasions d'inaugurer ce qu'il a initié, sauf à enchaîner deux ou trois mandats. Quant aux chances d'être réélu dans une ville encore en chantier, sous les critiques d'une opposition qui exploitera l'agacement quotidien et mobilisera la peur du changement, elles sont clairement affaiblies. C'est pourquoi, tous les élus locaux craignent de subir cet adage : « Maire bâtisseur, maire battu ».

Dans le même temps, les attentes de la population sont là. On veut que la ville se modernise, s'humanise. On veut des transports en commun, de l'écologie, des parcs, des crèches, des logements, de la culture, des commerces... Et cette même population est souvent bien frustrée devant l'inaction des maires qui ont choisi de renoncer plutôt que de se lancer dans des épopées administratives et judiciaires au long cours. Tout cela nourrit les extrêmes et le vote protestataire, partout où il y a urgence à faire bouger les choses. Pour protéger notre démocratie et nos libertés, il faut redonner aux élus le pouvoir de faire dans le temps de leur mandat. Là aussi, il y a urgence.

En France, il y a de moins en moins de maires bâtisseurs. Parmi les derniers spécimens de cette espèce d'élus en voie de disparition on pourrait citer Gérard Collomb à Lyon, Alain Juppé à Bordeaux ou bien André Santini à Issy-les-Moulineaux. Ce dernier est même à la manœuvre sur le Grand Paris où il exerce avec la même énergie que pour sa ville. Ces maires n'hésitent pas devant la lenteur administrative ou les oppositions de circonstance. Ils prennent leur téléphone, appellent, écrivent, relancent, sollicitent, réunissent. Inlassablement, ils épaulent les bâtisseurs dont ils peuvent au passage exiger bien davantage, car ils sont à leurs côtés et connaissent parfaitement les projets. La plupart des autres élus ont été engloutis sous l'avalanche des règlements ou dissuadés par les menaces de recours de toutes sortes. Lucide mais désabusé, Jean-Paul Viguier constate que « depuis la Renaissance, les architectes [sont] souvent les premiers compagnons des édiles créatifs et déterminés. La ville, sous l'effet de telles politiques, avance à marche forcée, prenant les conservatismes de vitesse jusqu'au moment où ces mêmes conservatismes rattrapent et dépassent le mouvement créé dans le seul but de l'arrêter et d'en éliminer les protagonistes[1] ». Et j'ajouterai que les maires inactifs sont, eux, sûrs de ne pas être réélus dans cette époque où l'impatience à voir changer les choses s'exacerbe. Mettons les maires bâtisseurs à l'honneur !

La solution : redonner d'urgence du pouvoir et de la capacité de faire aux élus, en réduisant le temps administratif et judiciaire. Et encourager, en parallèle, ceux qui bâtissent, notamment dans le calcul des dotations qu'ils reçoivent de l'État.

Le ralentissement diffère l'adoption du nouveau paradigme écologique

Figer les positions acquises c'est aussi et surtout différer la conversion à un monde plus écologique. C'est retarder d'autant le

---

1. Jean-Paul Viguier, *Architecte*, Odile Jacob, 2009.

changement de paradigme, pourtant indispensable. Sait-on qu'un immeuble neuf consomme le tiers de son équivalent dans le parc ancien ou bien qu'un centre commercial de nouvelle génération économise 70 % d'énergie ? Or, si ces projets ne voient pas le jour maintenant ou trop tard, on ne basculera pas dans cette nouvelle ère de l'énergie « décarbonée » que Jean-Marc Jancovici appelle de ses vœux. Cet ingénieur de Polytechnique, qui élabora en son temps le Pacte écologique de la Fondation Nicolas Hulot, estime qu'il est urgent de changer d'ère sous peine d'imploser : « Dans un monde non décarboné, plus vite la croissance repartira, plus vite arrivera le prochain choc pétrolier qui la tuera à nouveau. Il n'aura fallu que trois ans, entre 2008 et 2011, pour voir le processus se manifester de nouveau, annonçant une très probable récession pour 2012 ou 2013. (...) Quoi que nous envisagions pour l'avenir, il faut commencer par décarboner l'économie (...) Tant que nous ne nous occuperons pas sérieusement de ce sujet, nous pourrons bien croire à toutes les autres promesses faites pour l'avenir, la quasi-totalité viendra buter sur la contrainte carbone... et fera faillite. (...) Si nous ne faisons pas le premier pas, c'est elle qui choisira la forme de l'étreinte[1]. »

Sans verser dans l'autosatisfaction complaisante, je voudrais juste rappeler ici que notre entreprise a par exemple été la première en Europe à se doter d'un centre commercial certifié « Excellent » sur le plan environnemental[2]. Il s'agit en l'occurrence de SO Ouest à Levallois (46 000 m²) qui ouvrira ses portes en octobre 2012. Outre ses 10 000 m² d'espaces verts conçus pour protéger la biodiversité, SO Ouest est équipé de compacteurs pour réduire le volume des déchets (ce qui divisera par quatre la fréquence de rotation des camions bennes) et d'une toiture végétale pour l'isolation thermique et phonique. Au total, son niveau de consommation énergétique sera inférieur de plus d'un tiers à la consommation de référence la plus exigeante : celle imposée par la réglementation thermique de 2005. De

---

1. Jean-Marc Jancovici, *Changer le monde*, Calmann-Lévy, 2011.
2. Certification BREEAM, mention « Excellent », novembre 2010. BREEAM *(Building Research Establishment Environmental Assessment Method)* est la norme la plus utilisée au niveau mondial pour l'immobilier durable.

même, la tour Oxygène à Lyon (29 400 m²), œuvre du regretté Jean-Marie Charpentier, à proximité du centre commercial la Part-Dieu et ouverte depuis le printemps 2010, a été le premier immeuble de grande hauteur à être labellisé « Very Good ». Oxygène dispose notamment d'un système de pompes à chaleur sur nappe phréatique et sa façade, équipée d'une double peau, intègre des stores électriques afin de réduire la consommation d'énergie nécessaire à la climatisation du bâtiment. Là encore, sa consommation énergétique sera bien inférieure aux standards exigés, tout comme celle de Majunga, en construction à la Défense (architecte Jean-Paul Viguier), première tour certifiée HQE, BBC et BREEAM « Excellent ».

Et les derniers projets, encore dans les cartons, que ce soient la tour Phare de la Défense avec l'architecte américain Thom Mayne ou la tour Triangle à la porte de Versailles, avec Herzog & De Meuron, marqueront – si nous arrivons à lever les obstacles administratifs et judiciaires – une nouvelle étape dans le processus de décarbonisation de l'économie.

Le bâtiment – production de l'électricité consommée incluse – pèse à lui seul aujourd'hui le quart des émissions de gaz à effet de serre dans le monde. Il est donc vital d'enclencher dès maintenant la rénovation thermique du patrimoine bâti. Et construire là où il y a des transports en commun, ce facteur comptant pour 90 % de l'émission de CO_2 du poste de travail. La course contre la montre est engagée. Pourquoi l'État et par capillarité les collectivités locales ne se fixeraient-il pas une échéance à vingt ans pour refondre intégralement leur parc immobilier ? Il ne m'apparaît pas compliqué de modifier les cahiers des charges des appels d'offres pour coller aux nouvelles exigences environnementales. Il est toujours plus facile de changer la loi que de changer la planète. On peut aussi frapper au portefeuille les récalcitrants. Il s'agit d'« obliger tous les artisans du bâtiment à passer en formation sur la rénovation thermique lourde sous trois à cinq ans, faute de quoi ils perdraient la TVA à 5,5 % pour repasser à 19,6 %[1] », écrit Jean-Marc Jancovici.

En attendant, si on n'enclenche pas au plus vite cette dynamique vertueuse, si tout reste en l'état, il faudra vingt ans pour renouveler 5 % du parc. D'un côté, on plaide pour un sursaut écologique, mais, de l'autre,

---

1. *Changer le mondem, op. cit.*

on conforte le modèle ancien de surconsommation énergétique en ralentissant plus que jamais la production d'immeubles modernes, c'est-à-dire écologiques. Il y a véritablement urgence... Le temps joue contre nous.

Moins d'architecture

L'architecture, la grande architecture, est particulièrement défavorisée dans un pays comme le nôtre. Par nature, on sait qu'elle est plus chère à réaliser, en France comme ailleurs. Mais ici elle est particulièrement victime de notre complexité administrative et de la lenteur de la justice.

La superposition des règlements, l'accumulation des autorités ayant compétence pour autoriser, la capacité de blocage du voisinage inhibent chaque jour davantage la créativité architecturale.

Les plus grands architectes internationaux nous l'ont souvent confessé, qu'il s'agisse de Thom Mayne (Morphosis) ou d'Herzog & De Meuron, tous deux lauréat du Pritzker Prize : pour eux l'environnement français est d'une complexité extraordinaire, nécessitant d'interminables allers et retours avec les innombrables services compétents, pour obtenir une approbation, une dérogation... Plus le projet est imposant, iconique, plus le pouvoir administratif fait preuve de zèle. « On ne peut pas vous autoriser à faire cela, car cela ferait école... compte tenu de la visibilité du sujet », s'entendent-ils répondre.

Le résultat, c'est que si vous êtes promoteur et que l'argent est votre seul moteur, c'est une architecture banale, ordinaire, celle qui ne se voit pas, qu'il faudra choisir. Non seulement, elle coûtera moins cher, mais surtout, elle verra le jour bien plus vite, car elle n'intéressera généralement ni les voisins, ni les opposants politiques, ni l'administration.

L'iconographie des grands architectes est remplie de projets magnifiques dont la lenteur française aura fini par avoir raison.

Les jeunes talents et les entrepreneurs s'épuisent faute d'aboutir

Entreprendre ne s'apprend ni dans les amphis, ni dans les livres. Cela répond à une envie. Mais s'il est porté par un souffle, un allant qui le pousse à vouloir concrétiser une idée en faisant fi des contingences, l'entrepreneur n'est pas forcément armé pour affronter l'hydre administrativo-judiciaire française, dont l'arsenal insoupçonné aura raison à un moment ou à un autre de son enthousiasme. Pour lui, plus que pour tout autre, le temps, c'est de l'argent. Il ne peut s'offrir le luxe de tergiverser ou de devoir composer avec les complications byzantines de notre système.

Le temps perdu nuit gravement à l'entrepreneur. C'est un boulet économique, qui risque au mieux de le décourager, au pire de le faire fuir à l'étranger. Les pesanteurs administratives existent, mais elles ne se monnayent pas en délais. Notre inertie depuis vingt ans est une des explications du sous-équipement du pays en TPE et PME. Car pour un grand groupe, soyons clairs, la perte du temps compte moins : les racines sont plus profondes, l'arbre est plus solide. Le grand groupe a les moyens d'attendre. Mieux, il bénéficie souvent de la lenteur qui ralentit l'arrivée du challenger.

Nous avons lancé il y a quelques années le concours des jeunes entrepreneurs du commerce pour mettre le pied à l'étrier de jeunes qui ont des idées de boutiques ou de restaurants innovants. Nous en avons installés plusieurs, comme Arteum ou Yellow Corner, qui viennent bousculer l'univers un peu répétitif des centres commerciaux français. Quand ces jeunes, déjà confrontés à toutes les difficultés possibles (approvisionnement, recrutement, positionnement, financement), découvrent les joies du « dossier d'aménagement » à adresser à la commission de sécurité, avant de pouvoir ouvrir leurs 50 m² dans un centre, on lit dans leurs yeux comme un certain désespoir. Puis il y a la visite de la commission de sécurité elle-même. Pour Zara ou Etam, c'est une routine, pour eux, c'est simplement l'enfer.

6

Les (rares) gagnants

Quelques petits bénéfices
politiques ou sociaux

LES BÉNÉFICIAIRES DE LA LENTEUR – car il y en a – constituent un groupe un peu hétérogène où l'on retrouve tous ceux qui tirent du pouvoir, de la célébrité ou de l'argent, du temps qu'ils volent aux autres.

Les gagnants du système regroupent des acteurs très différents. Écartons tout d'abord le cas des « opposants de bonne foi » à un projet. Comme il a été dit ci-dessus, la plupart de ces acteurs ne cherchent pas à jouer la montre ou à instrumentaliser les lenteurs possibles pour obtenir un avantage. Ils veulent juste obtenir réparation d'un préjudice, modifier tel aspect, améliorer souvent aussi. Et tout le monde a intérêt à trouver une solution rapidement.

Tous les autres opposants vont jouer sur le facteur temps. Dotés d'un pouvoir d'obstruction très déconnecté de leur poids économique ou démocratique réel, ils s'opposeront soit pour exister politiquement et socialement, soit pour monnayer leur capacité de nuisance. Pour les premiers, plus la procédure s'éternise, plus ils gagnent en épaisseur et en visibilité médiatique. Pour les seconds, plus cela peut traîner, plus ils peuvent espérer toucher un gros chèque contre le retrait de leur recours. C'est ainsi que se déploie contre chaque projet d'envergure un équipage un peu insolite où l'activiste altermondialiste militant fraternise avec la bourgeoise réactionnaire des beaux immeubles, où le jeune conseiller municipal d'opposition, encore innocent, reçoit sans états d'âme le soutien des maîtres chanteurs les plus odieux. Le tout rassemblé autour d'une seule cause, une seule ambition : empêcher ou ralentir.

Même au Conseil d'État, pourtant garant d'une certaine idée de la justice universelle, accessible à tous, on s'inquiète aujourd'hui de cette judiciarisation à outrance de la société. Depuis quelques années, les contentieux ont ainsi enflé à mesure que la population prenait conscience du champ d'obstruction possible, large et gratuit, offert par le système.

Face à cela, les politiques et les maîtres d'ouvrage ont d'abord pensé trouver la parade : allonger en amont le temps de la concertation afin de satisfaire cette expertise nouvelle des citoyens. Seulement, cette initiative démocratique s'est peu à peu retournée contre eux, au point de stériliser une part significative de l'action publique et privée. Car, les discussions *a priori* n'ont pas supprimé les recours *a posteriori* des opposants les plus farouches. En clair, au temps long du contentieux s'est surajouté le temps long de la concertation. Qu'on le veuille ou non, la case tribunal sert toujours de caisse de résonance aux 5 % les plus réfractaires à chaque projet. Je me souviens que sur le chantier de rénovation du Forum des Halles, Unibail a coanimé pendant près de cinq ans, tous les jeudis soir, des débats parfois enflammés avec les riverains du quartier. Et, à l'arrivée, le projet n'a pas échappé à sa douzaine de recours, déposés par ceux-là mêmes qui venaient participer à ces fameuses réunions censées aplanir les différends.

« Le projet de rénovation du Forum des Halles est vraiment archétypique de cette débauche consultative, note un participant assidu des négociations entre la Ville de Paris et les associations de riverains. Avec le recul, je pense que les élus sont arrivés la fleur au fusil avec leur idée de démocratie participative. Ils se sont lancés dans une opération de manière utopique, pensant faire émerger un consensus à force de palabres. Rien que le mode de désignation de l'architecte est révélateur de leur démarche : au lieu d'opter pour un appel d'offres classique, la mairie a choisi la voie des "marchés de définition simultanés" qui permet aux équipes d'architectes concurrentes de partager un diagnostic durant une première phase (neuf mois) avant de se départager en élaborant chacune un programme de réaménagement lors d'une seconde phase (six mois) avant passage devant comité *ad hoc* puis conseil de Paris. Ensuite la SEM chargée des opérations a lancé une concertation publique en péchant un peu par naïveté. Au début, c'était très sympathique, car on abordait des thématiques variées (la sécurité, les espaces verts, les SDF…) dans une démarche constructive. Mais, avec le temps, les gens, même animés des meilleures intentions, s'épuisent. La spontanéité s'étiole. Restent les professionnels de la concertation. Certains s'en servent de tribune : ils prennent des positions manifestement extrêmes et n'écoutent plus les autres. À la fin, il semble que l'objectif est davantage de faire parler de soi que de contribuer de façon positive à une réflexion collective. »

L'association Accomplir, fer de lance de cette opposition systématique au projet des Halles, illustre ces dérives. Aux yeux de ce collectif rien ne trouve grâce. Ni le jardin, ni l'architecture, ni même la concertation et encore moins les finances. C'est un « non » systématique, presque totalitaire. Et non contente de contester le projet, l'association s'attaque aussi à ses acteurs. Car, comme révélé sur son site internet, « l'association a la rage » contre le projet du Forum des Halles. Les architectes sont trop payés, Unibail a fait une affaire « scandaleuse », le maire de Paris (PS) est vendu, l'ouvrage de la « Canopée » est irréalisable (comprendre, « il ne tiendra pas debout »), Anne Hidalgo (PS) ment comme une « arracheuse de dents ». Même le maire d'arrondissement (UMP) ou le préfet de région en prennent régulièrement pour leur grade.

Peu importe que les conditions économiques aient été validées par les domaines et le conseil du patrimoine, peu importe que chacun ait été entendu lors d'un processus de concertation exemplaire, peu importe que la justice déboute régulièrement l'association des procédures qu'elle entreprend, peu importe

131

la nécessité urbaine de faire bouger le quartier, de le rendre plus sympathique, plus humain, plus beau. Pour cette association tout est noir. Pas seulement d'ailleurs pour le projet du Forum des Halles. Il y a plein d'autres choses qui ne vont pas : la colonne Médicis a été « défigurée », les sanctions contre les terrasses illégales du quartier sont insuffisantes, les groupes de musique qui occupent la place des Innocents l'après-midi sont trop bruyants. Et évidemment le projet de rénovation de la Samaritaine est à jeter à la poubelle.

D'aucuns diront qu'il faudra toujours des extrêmes, et que c'est même souhaitable dans une démocratie qu'ils puissent librement s'exprimer. Mais la difficulté ici réside en cela que le maire (dans un premier temps), mais aussi les journalistes, ont considéré cette association comme un interlocuteur « sérieux » et représentatif du quartier. 258 articles de presse, émissions de radio ou de télé sur la seule année 2010. Une couverture médiatique « hors norme » que la présidente qualifie elle-même de « miracle »... pour une association qui plafonne à cent trente adhérents.

Dans une démocratie participative, on lit le mot démocratie. Or où est la démocratie dans tout cela ? Qui écouter ? Les 133 ultras qui ont versé une cotisation de 10 euros pour exprimer leur « rage » ou les centaines de milliers d'anonymes, qui n'ont pas le temps de venir aux réunions, mais qui veulent que le quartier change et qui ont élu un maire pour cela ?

À ce manque de représentativité, madame Bourguinat, la présidente, répond sans détour : « Ce reproche de non-représentativité n'est pas très solide... Galilée non plus n'était pas représentatif. En démocratie participative, ce n'est pas le nombre de personnes qui compte, c'est la qualité des arguments[1]. » Cette présomption d'infaillibilité suffit à clore définitivement le débat et fera inévitablement un peu sourire.

Pour autant, on ne peut qu'avoir beaucoup de respect pour la présidente de l'association Accomplir et son engagement personnel (elle rédigerait à elle seule 90 % de l'impressionnante production de l'association). Certains l'ont dite manipulée par les Verts et les altermondialistes, farouches opposants à la majorité municipale. Moi, je la crois avant tout sincère. Mais je ne peux

---

1. *Accomplir, les secrets d'une association de quartier efficace*, par Élisabeth Bourguinat, 14 avril 2005.

pas m'empêcher de penser qu'elle est allée trop loin. Trop loin dans la critique systématique pour être considérée comme une interlocutrice possible. Trop loin dans l'utilisation de toutes les armes possibles, y compris la guérilla judiciaire totale.

Le maire de Paris, dans son compte-rendu de mandat en mairie du IIe arrondissement, répliquait d'ailleurs avec fermeté : « L'association Accomplir ne conçoit la concertation que si les élus du suffrage universel lui obéissent au doigt et à l'œil. Souffrez qu'il y ait des gens qui ne pensent pas comme vous. »

Il faut dire qu'il existe des pays, comme la Suède ou le Danemark, où les associations de riverains ne recherchent ni la lumière médiatique, ni l'opposition systématique. Le travail de concertation repose d'abord sur le respect des interlocuteurs. Il s'effectue dans des délais maîtrisés qui permettent de bouger le curseur, sans menacer les conditions d'exercice du pouvoir des élus du peuple. Et il n'y a pas de seconde manche devant les tribunaux.

À Lyon, le maire encadre chaque phase de la concertation de ses grands projets comme Confluence dans un temps volontairement limité d'environ cinq mois. Cela permet un échange constructif avec les riverains et les associations. Un véritable dialogue s'engage, avec des concessions faites de part et d'autre. Ce temps contraint est non seulement garant de la réussite du processus, mais c'est aussi du temps gagné pour la réalisation des projets. C'est aussi la méthode adoptée par Anne Hidalgo à Paris depuis qu'elle est en charge de l'urbanisme : un maximum d'échange, dans un temps maîtrisé. Et l'utilisation du web pour se mettre à l'écoute des individus, dans le même temps que l'on échange avec les associations. Ce sont clairement des modèles à suivre pour concilier le dialogue avec l'action.

Et dans le cadre des progrès à réaliser, je voudrais aussi balayer devant notre porte : les acteurs privés gagneraient à mieux expliquer leur projet, au lieu d'attendre que la contestation n'enfle pour se mettre au contact des riverains. Tout cela ferait aussi gagner du temps.

Les « bobos »

Dans la rubrique « protection des intérêts individuels », le temps ralenti fait office de bouclier très efficace. Figer les choses pour s'assurer que son patrimoine ne se dégrade pas. Le phénomène est patent à Paris, mais aussi dans certaines « belles » villes de province. Jean-Paul Viguier avance une explication sociologique. « On a beaucoup raillé l'éclosion des "bobos" à Paris, mais j'y vois là le symptôme d'une époque : la population s'est enrichie en même temps que le marché s'est raréfié, si bien que les prix de l'immobilier n'ont eu de cesse de s'envoler. Aussi, quand un individu parvient enfin à acquérir un appartement agréable, il n'a plus qu'une obsession : tout geler. Que plus rien ne bouge autour de lui, dans son micro-quartier, afin de préserver la valeur de son mètre carré. Fatalement, il est donc persuadé que tout nouveau projet d'aménagement urbain sapera son environnement. Alors, il attaque en justice… Aux États-Unis, en revanche, c'est l'inverse. Les gens n'ont pas cette vision patrimoniale étriquée, nombriliste. J'ai eu la chance de pouvoir construire une tour à Chicago. Eh bien, spontanément, les habitants du quartier venaient me féliciter dans la rue, en se réjouissant de l'arrivée d'un bâtiment moderne, en phase avec son temps. »

La crispation rejaillit aussi dans des domaines que l'on imaginait naïvement préservés. Dans l'agriculture, par exemple, tout est maintenant prétexte à recours. Une étable ? Un appentis ? Une simple haie ? Autant de travaux anodins qui nécessitent du temps, car tout est contesté. Chacun se croit habilité à s'opposer, à faire valoir ses droits, à préserver son pré carré. On se judiciarise comme en Amérique, mais sans la contrepartie de la croissance ni du dynamisme. On n'imagine pas le nombre de particuliers prêts à tout pour préserver leur vue ou pour ne pas être incommodés par le bruit ni les odeurs. « Maintenant, pour monter un élevage de cent vaches laitières, il faut obtenir à la fois un permis de construire et une autorisation de produire liée aux installations classées. Ce qui déclenche inexorablement des contentieux derrière, note un responsable de la FNSEA. Ouvrir une porcherie, désormais, prendra deux ans au minimum, car des néo-ruraux viendront se plaindre des odeurs ; eux qui ont fui les cœurs de ville pour trouver, disent-ils, un peu de sérénité à la campagne. Allons, un peu de bon sens tout de même : tout le monde sait bien qu'une porcherie, par définition, n'a pas vocation à jamais sentir le Guerlain ! Au final, cependant, une porcherie sur deux finit devant le tribunal administratif. Les mêmes grogneront aussi contre les vendanges : trop de bruit à leur goût. Or, on ne peut tout de même pas mettre les vignobles sous cloche. »

S'enrichir

Dans le club des opposants, on trouvera aussi des acteurs de petite vertu, animés par la seule ambition de s'enrichir sur le dos du projet. Je vise ici ceux qui pratiquent impunément l'extorsion de fonds. Leur motto est simple. Ce n'est pas « la bourse ou la vie », comme les bandits de grands chemins d'autrefois. Ici c'est : « la bourse ou le naufrage judiciaire ».

« 90 % des recours en matière de construction se soldent par le règlement d'une indemnité, certifie Éric Ranjard, en échange du retrait du recours. C'est parfaitement légal. C'est même non imposable chez le bénéficiaire car on répare un préjudice. On est là face à une des plus perverses niches fiscales... » Le drame est que cet enrichissement, généralement sans cause, nourrit aussi tout un bataillon d'avocats et de conseils, spécialisés dans ces manœuvres dilatoires et évidemment peu enclins à accélérer les événements... L'affaire dont a eu à connaître le tribunal correctionnel de Meaux est assez révélatrice des dérives du système. Ce jour de 2008, dix personnes, dont deux éminents avocats d'affaires parisiens et deux anciens responsables d'un important groupe immobilier, comparaissent pour avoir déposé des recours abusifs contre de multiples permis de construire, à des fins lucratives, en 1997 et 1998. Une industrie bien rodée, avec pour cible rien de moins que les célèbres centres commerciaux de Val d'Europe (à Disneyland Paris) ou de Bercy Village, en plus de divers projets au Havre ou à Roubaix.

Selon l'accusation, les prévenus s'arrangeaient avec des complices pour acquérir un appartement à proximité du projet ou se mettre d'accord avec un propriétaire déjà présent. Cela leur permettait de déposer un recours en annulation du permis de construire devant le tribunal administratif. Des avocats se présentaient ensuite aux promoteurs pour leur proposer le retrait contre espèces sonnantes et trébuchantes. Un arrangement parfaitement légal pour les prévenus, qui ne comprennent pas ce qu'ils font sur le banc des accusés. Un chantage et une extorsion de fonds selon les promoteurs, épaulés par le procureur qui réclame des peines de prison. Les accusés seront finalement relaxés, mais le procès aura eu la vertu de mettre au jour l'existence de ces pratiques qui prospèrent particulièrement sur le terreau des pays à justice ouverte, lente ou ralentissable.

Le clan des conservateurs

La France vieillit. On peut le déplorer. On ne peut pas le nier. Nous gagnons à peu près une année d'espérance de vie tous les quatre ans. C'est là le privilège des nations développées en général et celui de la France en particulier. Chez nous, une petite fille née au début des années 2010 aura ainsi toutes les chances de mourir centenaire. En 2020, 17 millions de Français auront 60 ans et plus. Ils n'étaient que 12,6 millions en 2005. En 2050, ils seront 22,4 millions, le tiers de la population !

Si nos seniors alimentent la *silver economy* pour le plus grand bonheur de tout un pan de notre activité en consommant plus qu'avant, que ce soit des forfaits de téléphonie mobile ou des séjours en thalassothérapie en passant par des produits financiers de toutes sortes, ils impriment en retour au pays un rythme inédit, forcément plus lent. Or un pays de retraités se montre généralement moins aventureux et parfois pusillanime quand il s'agit de changer l'environnement, rompre les habitudes, imposer des grues et des camions de chantier.

Dans beaucoup de pays, les projets sont accueillis, soutenus. Chez nous, quand le scepticisme reste courtois, on a le sentiment d'avoir gagné la première manche. Cette opposition, elle, est généralement le fait d'une classe d'âge, de droite ou de gauche. Quand on s'adresse aux jeunes, les choses sont très différentes. Ils veulent que la ville bouge, s'intéressent à l'architecture, au développement durable, soutiennent les projets. Oui, on regrette d'avoir si peu de jeunes dans les réunions de concertation.

La coalition des intérêts conservateurs devient supérieure à celle des réformistes. « Chez nous, ce déséquilibre est encore plus prononcé, analyse Olivier Sibony, directeur associé du bureau France de McKinsey, car le pourcentage de personnes qui ont plus d'acquis à défendre que de choses à conquérir est plus élevé qu'ailleurs[1]. » Le temps long c'est aussi la résultante de tous ces conservatismes.

------

1. Entretien avec l'auteur, août 2010.

Mais le conservatisme n'est pas seulement un signe de vieillissement. C'est aussi un outil puissant de protection des intérêts privés, notamment ceux des grandes entreprises.

Je sais que ce propos pourra en étonner plus d'un. Jusqu'ici, beaucoup voudront lire dans ces lignes, qui appellent à aller plus vite, le plaidoyer d'un patron qui cherche dans la vitesse la réalisation de davantage de profits. Faire tourner la machine à une cadence supérieure pour gagner encore plus. Je voudrais les détromper tout de suite. Pour l'entreprise en place, le temps allongé dans lequel la France s'installe est souvent synonyme de marges copieuses et de résultats confortables.

Xavier Niel, créateur de Free, s'indignait récemment sur BFM Radio que le « CAC40 n'accueille pas d'entreprises qui ont moins de quinze, vingt ou même vingt-cinq ans », alors qu'ailleurs de jeunes entreprises sont intégrées dans les plus grands indices. Je lui donne volontiers raison sur ce constat que je ne peux m'empêcher de mettre sur le compte du ralentissement collectif qui est l'objet de cet ouvrage.

Le temps long s'avère en effet une rente monumentale, car il fige les positions au profit des tenants. Celui qui détient déjà des parts de marché dominantes cherchera souvent à ce que le monde autour de lui bouge le plus lentement possible. Actionner le levier de la durée revient en effet à « tirer la porte derrière soi » : profiter de son avantage acquis le plus longtemps possible, par tous les moyens.

Dans la grande distribution, la guerre est impitoyable entre les Carrefour, Auchan, Casino et autres Leclerc. *Idem* pour les cinémas avec Pathé-Gaumont, UGC, CGR ou Europacorp. Pour préserver les parts de marché, chacun s'efforce de ralentir le concurrent. D'autant que, au rythme où va la réglementation, les futures positions seront de plus en plus dures à conquérir. Les recours contre les permis de construire ou autorisations de CDAC[1] (ou CDACi[2]) sont monnaie courante entre ces grands acteurs. Et nos projets sont régulièrement des victimes collatérales de ces règlements

---

1. Commission départementale d'aménagement commercial.

2. Commission départementale d'aménagement cinématographique.

de comptes à la mode « chasse gardée ». À Rouen, un important exploitant de salles de cinéma, qui avait perdu la consultation que nous avions organisée pour choisir l'opérateur du multiplexe, n'avait pas hésité à faire un recours devant les tribunaux. Sans complexe, il expliquait devant les juges qu'il n'y avait pas de place pour un nouveau cinéma sur ce marché... en parfaite contradiction avec ce qu'il nous avait présenté et écrit trois mois auparavant. Nous avons gagné le procès sans difficulté, mais perdu à nouveau du temps.

En 1841, l'économiste libéral allemand Friedrich List stigmatisait déjà à l'échelle individuelle les ravages de la tentation du « club fermé »... après soi : « C'est une règle de prudence vulgaire, lorsqu'on est parvenu au faîte de la grandeur, de rejeter l'échelle avec laquelle on l'a atteint afin d'enlever aux autres le moyen d'y monter après soi[1]. »

Le temps ralenti est un formidable rempart contre les nouveaux entrants. Rien n'est pire dans une compétition commerciale que l'absence de délais. « Si un rival américain

---

1. Friedrich List, *Système national d'économie politique*, 1841.

voulait s'implanter en force *ex nihilo* en France, il lui faudrait au minimum quinze à vingt ans, observe Franck Lebouchard, ancien directeur général de Gaumont-Pathé. Pour accélérer les choses, il n'aurait d'autre choix que de racheter un concurrent français. »

Et je n'hésite pas à dire que le groupe que je dirige est à la fois victime et bénéficiaire de notre ralentissement collectif. Quand nous avons acheté la filiale européenne du numéro un mondial des centres commerciaux, « Simon Mall », le milliardaire David Simon m'avait expliqué que l'Europe était une zone impénétrable : en dix ans, il n'avait rien pu acheter ni ouvrir de significatif en France. Il nous remettait les clés de ses projets français, pour la plupart échoués devant les tribunaux, en nous souhaitant, avec un certain cynisme, « bon courage ». Dans le même temps qu'il se désespérait en France, il avait pu construire une intéressante position à Varsovie, qui est aujourd'hui venue renforcer la nôtre.

Un pays « lent » est un pays à faible densité de nouveaux entrants. C'est aussi généralement un pays à faible croissance.

Et par rebond, le manque de croissance ou de confiance dans la croissance nourrit lui-même le ralentissement collectif. C'est le cas par exemple des délais de construction. Dans un monde sans visibilité, les entreprises ont naturellement tendance à étaler le carnet de commandes dans la durée, tant elles ont peur du vide. Cela va de l'électricien ou du peintre, artisan, qui prendra plusieurs chantiers en même temps et vous expliquera qu'il ne peut consacrer qu'une journée par semaine à finir chez vous, malgré le mois de retard. C'est probablement aussi le cas des majors du BTP. L'Empire State Building, 381 mètres de haut, fut construit en un an et demi au début des années 1930. Pour faire une tour de 300 mètres à la Défense, il faut aujourd'hui plus de quatre ans de chantier. Certes, il y a plus de normes et de bureaucratie, mais il y a aussi du temps allongé dans un univers où rien ne pousse à prendre des risques pour aller plus vite, tant l'avenir est incertain.

7

Une maladie secrète

─────────────

APRÈS AVOIR DÉCRIT ce ralentissement qui nous caractérise, expliqué ses modalités, identifié les perdants et les gagnants de cette nouvelle donne, on ne peut s'épargner une réflexion sur la conscience collective de ce phénomène. Faisons-nous délibérément les choix de la lenteur ? Si oui, quel théoricien, quel mage, quelle chimère, suivons-nous ?

Une certaine idéologie de la lenteur réelle

De tout temps, on a fustigé la vitesse, le progrès, l'emballement vertigineux des événements. Les historiens et les sociologues ont observé que ces critiques revenaient de façon cyclique, à chaque fois que le progrès technique ou technologique faisait un bond en avant. C'est ainsi.

Au XIXe siècle, l'arrivée du « chemin de fer » a été perçue comme un traumatisme collectif. Certains n'hésitent pas alors à brandir les effets secondaires irréversibles d'une telle accélération, en évoquant qui la décomposition du cerveau, qui les troubles digestifs dus à la vitesse des voyages en train. On appréhende le passage dans les tunnels froids et humides. On parle de malaises possibles. Au point qu'en 1844 les pouvoirs publics sont contraints de fixer un maximum de dix-huit lieues à l'heure – soit environ 72 km/h –, assurant que « cette vitesse n'est pas nuisible ; au-delà seulement commence la gêne atmosphérique et de la respiration[1] ». Et il y a soixante-dix ans, Paul Morand écrivait très justement dans *L'Homme pressé* comment la vitesse finit par empêcher de goûter les choses de la vie et d'établir de vrais rapports aux autres.

En fait, comme l'observe très justement Hartmut Rosa, dans notre histoire, c'est à cadence régulière que chaque « poussée d'accélération est presque toujours suivie d'un appel à la décélération et d'une

---

1. Christophe Studeny, *L'Invention de la vitesse*, Gallimard, 1995.

aspiration nostalgique à un retour au "monde lent"[1] ».

C'est exactement ce que nous vivons aujourd'hui. Les appels au ralentissement constituent une réaction naturelle à la formidable accélération du monde et de la pensée que la technologie récente nous impose.

Notre philosophie moderne du ralentissement s'appelle le mouvement *slow*. À Wagrain, une petite station de sports d'hiver nichée dans les Alpes autrichiennes, on célèbre chaque année en octobre la lenteur. Le temps d'un week-end à la montagne, entre deux séances de relaxation en sauna, les vénérables membres de la « Société pour la décélération du temps », réunis en un symposium très sérieux, dissertent entre eux des bienfaits du temps lent. Leur slogan ? « On commence quand c'est le bon moment. » Ce *think tank* d'un genre particulier, né il y a une vingtaine d'années à l'université de Klagenfurt en Autriche, regroupe à présent quelque 700 adeptes, disséminés dans toute l'Europe, mais aussi en Amérique du Nord et du Sud. Parmi eux, des universitaires bien sûr, mais aussi des thérapeutes, des artistes,

---

1. Hartmut Rosa, *Accélération, une critique sociale du temps*, La Découverte, 2010.

des politiques, des consultants, et même des entrepreneurs ! Tous s'efforcent de « ralentir » afin de redonner un sens à leur vie. À leurs yeux, la vitesse excessive demeure forcément nuisible. Il faut au contraire lui substituer le *tempo giusto*, la juste mesure. Parfois, la « Société pour la décélération du temps » se lance dans des opérations coups-de-poing dont elle a le secret, les « pièges à vitesse » : munis d'un chronomètre, ses gentils membres mesurent le temps que mettent les piétons à se rendre à leur travail. Les gens flashés à moins de 37 secondes sur 50 mètres sont alors priés de se ranger sur le bas-côté et d'expliquer le pourquoi de leur hâte intempestive. Pour expier leur vitesse excessive, ils devront parcourir à nouveau les mêmes 50 mètres en faisant avancer une marionnette en forme de tortue difficile à manier[1].

Les défenseurs de la lenteur ne sont pas confinés au fin fond des Alpes autrichiennes. Ils sévissent aussi dans des contrées beaucoup plus éloignées. Ainsi au Japon, le Sloth Club a fait vœu de vie plus calme. Ses sept cents *aficionados* arborent des tee-shirts floqués de l'inscription « Vive la lenteur ! ».

---

1. Voir Carl Honoré, *Éloge de la lenteur*, Marabout, 2006.

Leur QG n'est autre qu'un café à Tokyo, avec au menu nourriture bio et concerts à la bougie. À San Francisco, même combat. La fondation « Du temps maintenant » fustige le rythme délirant de nos sociétés contemporaines. À Rome, on a inventé il y a vingt-cinq ans le *Slow Food,* le concept de la cuisine qui prend son temps, comme en témoigne la profession de foi de son inspirateur, le critique gastronomique Carlo Petrini : « Une défense sans faille des plaisirs terrestres est la seule façon de s'opposer à la folie universelle de la vitesse à tout prix. » Par capillarité, le phénomène *Slow Food* a été décliné en *Slow Sex* (l'art de prendre son temps en amour) puis s'est propagé aux villes, donnant naissance au mouvement *Citta Slow* (les villes de la lenteur). Les édiles signant le manifeste s'engagent ainsi à respecter une cinquantaine de mesures en faveur d'une vie urbaine plus paisible et plus tranquille. En 2003, *Citta Slow* revendiquait une petite trentaine d'adhérents en Italie, une poignée en Scandinavie, Allemagne et Angleterre et quelques autres encore en Australie et au Japon. Aujourd'hui, le réseau *Citta Slow* a même essaimé en France. Segonzac, une petite commune de deux mille âmes en Poitou-Charentes, terre de cognac par excellence, a été la première à recevoir ce label au printemps 2010.

Il y a aussi les altermondialistes qui se plaisent à dénigrer les travers de notre époque survoltée. Pour eux, la pression temporelle doit être impérativement allégée. Le discours est assez simple : « Le capitalisme en tant qu'individu nous fait souffrir ! Sortons d'urgence de la société de consommation. » Et les mêmes de convoquer les grands auteurs qui se sont lamentés avant les autres sur les ravages de l'accélération du monde, afin de crédibiliser leurs propos. On pense au dramaturge romain Plaute – « Les dieux maudissent l'homme qui trouva le premier comment distinguer les heures, et ils maudissent de même celui qui installa ici un cadran solaire, pour découper et tailler mes jours en misérables petits morceaux » –, on se remémore les sentences lapidaires à la fin du XIXe siècle de l'essayiste américain Charles Dudley Warner, qui partagea en son temps la plume avec son ami Mark Twain : « La mise en coupe réglée du temps en mesures rigides est une invasion de la liberté individuelle étouffant l'expression des tempéraments et des sentiments différents. » On révère aussi bien les « transcendantalistes » américains qui préconisaient au milieu du XIXe siècle une vie ralentie au rythme de la nature que les tenants de la « simplicité volontaire » un siècle plus tard. On se gargarise de la théorie du « rétrogradage » popularisée il y a un quart de siècle par l'Institut de recherche des tendances de New York tout autant que du New Age.

Mais cette recherche d'un monde décontaminé de l'urgence du monde moderne puise aussi ses racines dans les idéologies du projet social. Le temps, c'est le temps de travail, ces heures préemptées par le capital. Et l'inégalité sociale n'est pas seulement relative à la taille du compte en banque. L'inégalité, c'est aussi le temps. Aux prolétaires la semaine de six jours et les cadences infernales. À l'élite, les vacances, l'espérance de vie, l'accès à la culture et aux loisirs, le « temps libre », non contraint.

Le film hollywoodien *Time out* d'Andrew Niccol illustre à merveille ce propos. Soit, en 2161, un ghetto dangereux peuplé de prolétaires, où tout le monde court après la montre, car ici le porte-monnaie a été remplacé par un crédit de temps. À 25 ans, tout le monde arrête de vieillir et il ne vous reste plus que quelques semaines à vivre. Si votre compteur arrive à zéro, c'est la mort. Aussi, dans le ghetto des prolétaires, on travaille dur à recharger le compteur. Mais à la fin de chaque mois, il ne reste plus que quelques heures à vivre. Dans le district des riches, la vie est étonnamment calme. Ces héritiers qui exploitent les prolétaires ont chacun des siècles à vivre. Heureusement, un Robin des Bois du futur va bouleverser cet équilibre délirant pour tenter de partager le temps équitablement entre les riches et les pauvres.

Revenons à 2012 un court instant. Notre société n'est plus celle de l'exploitation du prolétariat industriel par les deux cents familles de naguère, elle n'est pas encore celle de la privation du temps de vie par les immortels de *Time out*. Pour autant, il faut reconnaître que face à l'accélération des rythmes de vie, nous ne sommes pas égaux. Il est plus facile de vivre à 200 km/h quand on est riche, cultivé et équipé que quand on est fragilisé, inquiet et appauvri.

Derrière le ralentissement de la France, il y a aussi un appel au secours d'une population inquiète du lendemain, qui ne comprend plus à quoi servent l'innovation et la modernité, et qui veut renoncer à l'accélération du monde. Il y a aussi un paradoxe. Si tout le monde se plaint au quotidien de n'avoir plus « une minute pour

154

soi », la réalité oblige à reconnaître que jamais, dans l'histoire du pays, les gens n'ont eu en fait autant de temps libre qu'aujourd'hui. L'allongement de la durée de vie, l'entrée plus tardive dans la vie professionnelle, la réduction du temps de travail, le développement du temps partiel, le chômage, l'automatisation des tâches ménagères ont accru à un niveau jamais atteint le temps non travaillé. Pour autant, ce temps libre est lui-même un temps suroccupé : appels téléphoniques incessants, suractivité de loisirs, de sport, de culture, de télé, d'internet, de jeu, *speed dating, multi-tasking, fast-food*... On n'a plus une minute à soi. Ne serait-il pas plus sage de gagner en relaxation pendant notre temps libre, tandis que l'on gagnerait en efficacité durant le temps travaillé à la réalisation de nos ambitions collectives ?

En tout état de cause, on peut conclure ici qu'il n'existe pas de mouvement intellectuel, philosophique, religieux, littéraire ou poétique suffisamment puissant pour expliquer le phénomène de ralentissement qui affecte la France. Il faudra chercher ailleurs.

On conclura aussi qu'il est urgent de réconcilier les Français avec le temps « juste ». À la fois plus zen quand c'est le moment de décompresser. Et plus réaliste quand le temps est venu d'accélérer. Le temps ne doit pas être un tabou, source de frustration et d'angoisse. Acceptons de « perdre du temps » partout où c'est possible et d'en gagner ailleurs, là où le temps est vecteur de croissance, de prospérité collective, d'architecture et de progrès environnemental.

L'ambiguïté de l'État : accélérateur et frein en même temps

Nous avons vu que l'État a été dans le passé une force d'accélération formidable. Il sait l'être encore pour des projets d'envergure, ou sous l'emprise d'un ministre ou d'un préfet d'exception.

Mais il existe aussi une école de pensée qui considère l'État comme le rempart contre l'accélération du monde, le restaurateur d'une lenteur salvatrice qui permet la décision juste, équilibrée.

Philippe Delmas, dans son ouvrage *Le Maître des horloges*, rappelle que l'État « a la capacité de donner du temps au temps. L'État est le gardien des horloges, le pourvoyeur de la lenteur nécessaire, inaccessible aux marchés parce que contraire à la rapidité qui fait leur force[1] ». « Parce qu'il est le dépositaire de l'intérêt collectif, l'État est le protecteur légitime du futur. » Par définition, l'État n'aurait donc pas à aligner son horloge sur celle des entreprises et des marchés, parce que les temps des uns et ceux des autres ne sont pas interchangeables. Notre État moderne, hérité du modèle gréco-romain, s'est construit sur sa capacité à imposer son rythme, et ce temps n'est pas celui du peuple et de ses entreprises séculières.

Pour l'État, la maîtrise du temps est l'incarnation de sa souveraineté. Ce pour quoi il est État justement. Le temps qui s'écoule demeure une garantie perpétuelle. Il fabrique de la décision. Il joue en sa faveur. « La mécanique de la décision implicite repose précisément sur ce point, souligne un magistrat du Conseil d'État. Au bout de deux mois, si l'État n'a pas répondu à votre demande, celle-ci est rejetée. »

Mais je ne crois pas que ce soit cette position de maître des horloges qui explique à elle seule le ralentissement collectif. À fréquenter quotidiennement des hauts

---

1. Philippe Delmas, *Le Maître des horloges*, Odile Jacob, 1991.

fonctionnaires et des patrons d'administration centrale, je n'en n'ai jamais vu répondre à la façon de Louis XIV par un « nous verrons » condescendant. La plupart étaient conscients de l'urgence des sujets, et sincèrement désolés de la lenteur des processus auxquels ils étaient associés. Simplement, ils étaient le plus souvent impuissants, ou, du moins, pensaient-ils l'être.

Dans l'ordre naturel de nos sociétés, au-dessus de l'administration, il y a le politique. Et c'est même au politique que devrait revenir la tâche de fixer le « temps » de l'action de l'État, donnant à l'administration des objectifs de délais et les moyens nécessaires. Or, face au défi du temps juste, beaucoup de nos élites politiques semblent tergiverser, entre l'hyper-réactivité et l'abandon.

Le segment de l'hyper-réactivité est dicté par le temps médiatique. Il s'agit le plus souvent de se montrer digne d'une émotion populaire. C'est ainsi que l'on légifère dans l'extrême urgence pour renforcer l'arsenal pénal au lendemain d'un crime odieux. Cette urgence est même devenue l'ordinaire de la production législative française actuelle. Une ébullition qui masque en partie l'inertie galopante du pays, tout en contribuant à la prolifération des normes dont l'effet sur notre ralentissement est lui plus que probable.

Le segment de l'abandon, c'est celui du moyen ou du long terme. Celui où le bénéfice politique est tellement décalé qu'il semble dérisoire. On trouvera ici tout ce qui ne fera pas la première page des magazines ou l'ouverture du journal télévisé, et que le politique laissera cheminer sans chercher à accélérer la cadence, sans épauler l'acteur public ou privé, car ce temps-là n'est pas le sien. Pourtant, c'est probablement notre temps à tous, car notre prospérité collective repose sur la capacité de nos entreprises publiques et privées à gagner du temps, qu'il s'agisse du court, du moyen et du long terme.

Le politique n'est pas le responsable du ralentissement collectif. Il en est même parfois une victime. Mais il s'en trouve aussi souvent le complice quand il donne plus de place au présent qu'à l'avenir, ou quand il renonce à son rôle naturel d'accélérateur de grands projets, à enjeu collectif. Demain, s'il ne réagit pas, il en sera nécessairement comptable.

De la crainte d'une justice expéditive
à la justice sans calendrier

La France est régulièrement condamnée pour la lenteur de sa justice, notamment pénale, et ses durées records de détentions préventives. Et il aura fallu cinq ans, c'est-à-dire un mandat présidentiel complet, pour savoir si Jacques Chirac, redevenu justiciable ordinaire depuis longtemps, doit être tenu responsable des emplois fictifs de la mairie de Paris. C'est quand même bien long à l'heure de l'internet haut débit et du TGV.

On blâmera évidemment le manque de moyens et la complexité de l'organisation de la justice française. C'est une réalité incontournable à laquelle il faudra bien un jour s'attaquer. Mais il faut aussi voir derrière cette lenteur une crainte absolue de la justice expéditive. La justice expéditive demeure l'apanage des pays totalitaires. Elle est celle qu'on vous oppose dès que vous abordez le sujet du temps de la justice avec un magistrat. La justice doit être sereine. Quand Pompidou était à Matignon, il a présidé une fois le Conseil d'État comme l'y autorise sa fonction. Lors de sa venue, les magistrats se sont plaints du manque de moyens, de ressources, etc. Réponse laconique du Premier ministre : « Vous vous plaignez que la justice soit lente, vous ne voudriez pas qu'elle fût expéditive ! » C'est vrai que personne ne veut d'un procès à la chinoise qui vous envoie au bagne en deux heures trente d'audience. Mais de là à devoir patienter six à huit ans pour une décision de cour suprême, comme c'est le cas pour le contentieux des grands projets d'urbanisme, il y a tout de même une marge.

Et pour corriger cette marge, encore faudrait-il être conscient de la réalité du ralentissement. Or les délais que nous vivons dans ces affaires d'urbanisme, les élites du monde judiciaire ont elles-mêmes souvent du mal à les reconnaître.

« On considère en haut lieu qu'un procès raisonnable ne se tient pas en moins de six mois, et qu'une durée inférieure à un an demeure convenable », décode pour moi un magistrat du Conseil d'État. Selon lui, les exigences du contradictoire avec expertises et contre-expertises justifieraient les douze mois. Et pour le même magistrat, la justice fait des progrès considérables pour s'approcher de cette cible de délai d'un an.

On lira d'ailleurs dans le dossier de presse du tribunal administratif de Paris que le délai moyen prévisible de jugement, qui était de plus de deux ans au début des années 2000, serait aujourd'hui d'environ six mois seulement.

Il y a eu, certes, un progrès, notamment à Paris, mais la réalité, c'est que cette moyenne de six mois inclut toutes les procédures : les référés jugés en quarante-huit heures, les reconduites à la frontière et même les ordonnances d'irrecevabilité manifeste. Pour un dossier copieux d'urbanisme devant un tribunal administratif ordinaire, l'attente va d'un an et demi à trois ans et demi pour la seule première instance.

Le monde du tribunal administratif est un des rares univers qui tourne sans horloge. Vous êtes attaqué. Il y a des centaines de millions en jeu. Des milliers d'emplois. Vous ne vous demandez qu'une chose pour caler l'organisation et limiter les dégâts : combien de temps cela prendra-t-il pour obtenir le jugement ? Un conseil : ne demandez pas au magistrat en charge. Car la question à elle seule est très malvenue. Oser parler du calendrier, c'est risquer les foudres du tribunal, c'est presque un outrage. Le juge pense qu'il faudra le temps nécessaire. C'est même son intime conviction que son indépendance ne saurait être contrainte par un délai. Un an, peut-être deux, peut-être trois, qui sait ?

Au gré de la complexité du dossier, de l'encombrement du tribunal, des congés et des promotions. Mais surtout ne parlez pas de calendrier. Vous briseriez un tabou, ce qui ne manquerait pas de vous attirer des ennuis.

Cette lenteur, ce n'est pas seulement le fruit de la conviction qu'une justice sereine ne saurait être enfermée dans un calendrier. C'est aussi le résultat d'une large méconnaissance des retombées économiques dramatiques liées aux multiples reports. La justice ignore trop souvent les réalités économiques du temps perdu. Je veux croire ainsi que les magistrats successifs qui prendront cinq ou six ans pour solder un permis de construire n'ont nullement conscience de l'impact de leur lenteur. Sans doute n'ont-ils pas mesuré qu'il est préférable de pourvoir 2 000 emplois pérennes au bout de deux ans plutôt qu'au bout de six. Mais peut-être croient-ils à tort que seule une longue durée favorise la conciliation, par épuisement des parties, par lassitude mutuelle. Par expérience, je soutiens le contraire : la lenteur excessive, loin de calmer les ardeurs, stimule l'attaque.

Dès lors, pourquoi ne pas imaginer dans nos tribunaux administratifs un dispositif assez simple de calendrier d'entrée et de sortie des dossiers ? Il ne devrait pas être impossible d'évaluer, fût-ce à peu près, le temps de traitement d'un dossier *a priori* et de pouvoir dire au demandeur du permis de construire ainsi qu'au requérant : le dossier sera jugé tel trimestre. Un système de calendrier prévisionnel d'instruction (« CALI ») et de calendrier prévisionnel d'auditionnement (« CALA ») est d'ailleurs actuellement en cours d'expérimentation dans plusieurs juridictions, dont la cour administrative d'appel de Paris. Et il paraît que le Conseil d'État fait, lui aussi, depuis quelques mois l'essai de cette même optimisation des délais dans deux cours et deux sous-sections... Et ce même Conseil d'État sait être diligent : pour ses avis au gouvernement, il est tenu à un délai de deux mois qu'il respecte de façon systématique.

Introduire la culture du temps dans les tribunaux semblerait à coup sûr un meilleur remède contre la lenteur judiciaire que la multiplication actuelle des « référés » et autres « comparutions immédiates », dans une forme de sous-justice précipitée qui ne résout rien au fond.

Mais pour accélérer il faudrait aussi des moyens. L'État ferait un excellent calcul en choisissant d'investir dans sa justice administrative, car bon nombre de gros projets, sujets à contentieux, brassent et génèrent énormément de fonds, avec collecte immédiate de ressources fiscales. La vérité des chiffres demeure implacable : à l'échelle du pays, le nombre de juges administratifs et judiciaires, rapporté à la population, demeure sensiblement le même qu'en 1830, alors que le besoin de justice a été multiplié par trois ! S'il y a encore quelques décennies, ce déséquilibre n'était pas trop voyant, dorénavant, il est manifestement inacceptable tant le contentieux a explosé en volume.

Des espaces-temps qui s'ignorent

En conclusion, il est difficile d'établir une volonté populaire, une dynamique politique ou administrative derrière le ralentissement de la France.

Certains observateurs ont bien tenté d'en faire un fossé entre la droite et la gauche. Être de gauche ce serait souhaiter décélérer encore davantage au motif de mieux défendre le contrôle de l'économie, les processus de négociation et de concertation, ou la protection de l'environnement. Être de droite ce serait vouloir accélérer en dérégulant tout.

Cela ne semble pas tout à fait exact. D'abord parce que notre ralentissement collectif est une œuvre de trente ans, aux causes éminemment complexes, dont la droite et la gauche portent la responsabilité à part égale. Ensuite parce qu'il y a des maires de droite et de gauche qui veulent aller plus vite, et d'autres qui se complaisent dans l'inaction, sans que leur sensibilité politique ne les départage clairement. Enfin parce que la gauche, que l'on dit force de décélération et de défense des libertés publiques, porte en elle les valeurs du progrès et du changement, tandis que la droite, que l'on voudrait force d'accélération et de libéralisme, est aussi, parfois, celle du conservatisme et de la protection des intérêts acquis.

À mon sens, notre ralentissement n'est pas volontaire. Le temps perdu n'est ni de droite, ni de gauche. C'est une simple conséquence, la conséquence d'espaces-temps qui s'ignorent. Ignorance par le pouvoir administratif des conséquences du report de telle décision. Ignorance par le pouvoir législatif des contraintes de temps imposées par telle norme. Ignorance par le pouvoir judiciaire des dommages liés à son instrumentalisation et à son horloge ralentie.

Dès lors, il est permis de garder espoir.

8

Casser la spirale infernale du temps perdu

Savoir accélérer

L'ÉTAT N'EST PAS TOUJOURS AUTISTE. Il sait aussi bousculer son propre calendrier quand ses intérêts prédominent. Il sait dynamiter les inerties. La France n'a pas vocation à se complaire dans la lenteur sous prétexte qu'elle est la France ! Pour preuve, certains projets nationaux construits en des temps records n'ont rien à envier à leurs concurrents étrangers. Le cas du Stade de France à Saint-Denis est à cet égard édifiant. Voilà une enceinte de 80 000 places qui fut érigée en moins de quatre ans et demi, entre la signature du protocole d'accord fondateur (octobre 1993) et son inauguration (janvier 1998), soit un délai comparable à celui du nouveau stade de Munich, l'Allianz Arena, dont tout le monde s'est accordé à dire depuis qu'il s'agissait d'une prouesse difficilement égalable. Même célérité ou presque avec le parc Euro Disney à Marne-la-Vallée : l'État signa en mars 1987 un contrat de trente ans pour le développement du *resort* Mickey dans la région parisienne... et l'inaugura cinq ans plus tard en avril 1992. Pour Beaubourg, ce fut à peine plus long : sept ans, le temps d'un septennat. Georges Pompidou lança officiellement son projet d'« ensemble monumental consacré à l'art contemporain » quelques mois à peine après son arrivée à l'Élysée, en décembre 1969. Son successeur, Valéry Giscard d'Estaing, l'inaugura en janvier 1977.

Et ne l'oublions pas, la pyramide du Louvre de Ieoh Ming Pei fut érigée en six ans (1983-1989). Même chose ou presque pour la Grande Arche de la Défense (1982-1989).

La France est donc capable d'appuyer sur l'accélérateur. Elle n'est pas condamnée à rouler sur la file des États lents où la défense des positions acquises prime sur l'énergie créatrice. En l'occurrence, avec la perspective de la Coupe du monde de football de l'été 1998 et son formidable potentiel économico-touristique, le gouvernement de l'époque a su fédérer les énergies politiques et secouer les différents échelons de son administration.

Et parfois, la pression économique suffit en elle-même à annihiler toute contestation. « Dans une région un peu sinistrée, enclavée, comme l'est celle de Millau, les écologistes n'ont pas tenu le choc lorsqu'ils ont songé à s'opposer au viaduc. Cet ouvrage monumental apportait en effet de la croissance dans toute la vallée. Donc de la vie économique », rappelle Jean-Jacques Lefebvre, ancien dirigeant du groupe Eiffage, maître d'ouvrage de ce pont suspendu monumental, dessiné par sir Norman Foster. Parfois aussi, mais moins souvent encore, le miracle se produit : le projet n'est jamais entravé. Toutes les phases du processus s'enchaînent à la perfection. Comme un effet domino positif. C'est le cas à la Défense avec la tour Majunga conçue par Jean-Paul Viguier et pilotée par Unibail. Une fois n'est pas coutume, nous avons eu la chance que tout se décante au fur et à mesure.

Le temps long n'est pas une fatalité.

Avec la crise économique et le chômage, il est fort probable que sa facture devienne plus difficile à supporter. Ceci, d'autant plus que le dernier acte de la crise financière sonne le glas de la finance abondante et pas chère. À 3 ou 4 % de taux d'intérêt, l'immobilisation d'un projet demeure supportable. À un taux doublé et moins de volume de financement possible, chaque jour se met à compter. Que l'on soit acteur public ou privé, l'avenir n'est plus à l'argent gratuit. Plus que jamais, il faudra apprendre à compter avec le temps.

Pour une revue générale du temps public

Afin de contraindre la dépense publique et de mettre au régime les administrations, le gouvernement avait engagé la revue générale des politiques publiques. Une dissection de chaque budget de chaque unité et sous-unité de l'État.

Je propose d'appliquer cette méthode au temps public. Plutôt que de regarder la dépense, scrutons le temps à la loupe. Identifions à chaque maillage administratif les zones de temps perdu et celles possibles de gain de temps. Acceptons que les autorisations, les enquêtes et examens de dossiers puissent être menés de front par les différents acteurs de la puissance publique. Obligeons nos administrations et notre justice à un calendrier d'actions pour chaque demande, avec un temps estimatif de traitement. Formons nos élites politiques et administratives à la notion de temps perdu et ses conséquences économiques. Soutenons davantage les grands projets que les petits car ceux-ci sont plus fragiles, plus complexes, plus victimes de notre ralentissement que ceux-là, tout en ayant une importance économique et un effet d'entraînement éminemment démultiplicateur pour la collectivité. Ajoutons à cela une grande et vraie réforme de simplification et d'harmonisation des normes.

Retrouvons le temps juste, celui qui favorise l'exercice des libertés publiques sans entraver le progrès et la création. Trois mois devraient suffire à mener une concertation auprès de la population. Un an pour traiter un recours devant le tribunal administratif, en toute sérénité.

Pour une nouvelle conscience collective du temps juste

Notre appréciation individuelle du temps est finalement assez simple : nous sommes en manque. Alors que nous en avons plus que jamais à disposition, avec les effets de la longévité croissante et du temps travaillé décroissant, nous avons le sentiment d'en manquer de plus en plus.

Nous sommes devenus des « boulimiques » du temps. Nous sommes tombés dans une spirale faite alternativement d'abondance et de frustration. Nous engloutissons du temps sans prendre le temps d'en jouir vraiment. Tout ceci est source de grandes angoisses. Ces angoisses nourrissent très naturellement une ambition de décélération. Dans *Le Monde d'après. Une crise sans précédent* Gilles Finchelstein et Matthieu Pigasse réclament : « l'urgence est de sortir de la dictature de l'urgence ; l'urgence est de retrouver le temps long ».

La question me semble bien davantage de retrouver le « temps juste ».

Retrouver le temps long, ce serait passer de la boulimie à l'anorexie. Dans une France déjà engagée sur la pente du ralentissement de son action collective, à la fois absolu et relatif, ce serait évidemment le pire des remèdes.

Le temps juste, c'est celui de l'équilibre. Avec la vitesse qui s'imposerait quand elle doit s'imposer, par exemple pour la résolution de nos urgences sociales et environnementales et la restauration de notre compétitivité. Mais avec une place égale pour le temps lent : celui de la réflexion, de la création, de la culture, de la famille. Le temps juste, ce n'est ni la dictature du présent dans laquelle nous vivons, avec nos précipitations et nos gesticulations, ni le temps abandonné de nos procédures administratives et judiciaires. Le temps juste c'est de pouvoir construire un bel équipement collectif, modèle d'architecture et de développement durable, en quatre ans au lieu de quinze, dans une France apaisée où chacun pourrait préserver des moments de pause et de déconnexion.

Remerciements

Mes remerciements vont tout d'abord à Guillaume Evin qui m'a aidé pour la rédaction de ce livre. Merci également à Sophie Desmazières, Jean-Pierre Duport, Philippe Lefèvre et Pablo Nakhlé-Cerruti, pour leur aide précieuse et savante, ainsi qu'à toutes les personnalités qui ont accepté de contribuer à cette brève réflexion.

TABLE

Introduction 9

1. La France ralentit...
   quand le monde accélère 15

2. La double peine,
   une spécificité française 38

3. Un temps préalable étiré 42

4. La justice hors du temps 85

5. Les (nombreux) perdants 106

6. Les (rares) gagnants 127

7. Une maladie secrète 147

8. Casser la spirale infernale
   du temps perdu 167

Remerciements 175

Dans la même collection

Besson (Eric)   *La République numérique* ■ *Pour la nation*
Cohen-Tanugi (Laurent)   *Quand l'Europe s'éveillera*
Fourest (Caroline)   *La Tentation obscurantiste*
Fukuyama (Francis)   *D'où viennent les néo-conservateurs ?*
Galbraith (John Kenneth)   *Les Mensonges de l'économie*
Gozlan (Martine)   *Le Désir d'Islam* ■ *L'imposture turque*
Guénaire (Michel)   *Le Génie français*
Gumbel (Peter)   *French Vertigo* ■ *On achève bien les écoliers*
Hirsch (Emmanuel)   *Apprendre à mourir*
Hoang-Ngoc (Liêm)   *Sarkonomics* ■ *Vive l'impôt !*
Le Boucher (Eric)   *Economiquement incorrect*
Lemaître (Frédéric)   *Demain, la faim !*
Lepage (Corinne)   *Vivre autrement*
Lévy (Thierry)   *Nos têtes sont plus dures que les murs des prisons*
Lorenzi (Jean-Hervé)   *Le fabuleux destin d'une puissance intermédiaire*
Minc (Alain)   *Ce monde qui vient* ■ *Le Crépuscule des petits dieux* ■ *Dix jours qui ébranleront le monde* ■ *Un petit coin de Paradis*
Obama (Barack)   *De la race en Amérique*
Olivennes (Denis)   *La gratuité, c'est le vol*
Richard (Michel)   *La République compassionnelle*
Riès (Philippe)   *L'Europe malade de la démocratie*
Rosa (Jean-Jacques)   *L'euro : comment s'en débarrasser*
Saint-Étienne (Christian)   *L'incohérence française*
Sfeir (Antoine)   *Vers l'Orient compliqué*
Spitz (Bernard)   *Le Papy-krach*
Stewart (James B.)   *Huit jours pour sauver la finance*
Tenzer (Nicolas)   *Quand la France disparaît du monde*
Ternaux (Catherine)   *La polygamie, pourquoi pas ?*
Tétreau (Édouard)   *Quand le dollar nous tue*
Toranian (Valérie)   *Pour en finir avec la femme*
Tuquoi (Jean-Pierre)   *Paris-Alger*
Vittori (Jean-Marc)   *L'effet sablier*
Yade (Rama)   *Lettre à la jeunesse* ■ *Plaidoyer pour une instruction publique*

Cet ouvrage a été imprimé par
CPI Firmin-Didot
à Mesnil-sur-l'Estrée
pour le compte des Éditions Grasset,
61, rue des Saints-Pères, 75006 Paris.
en mai 2012

Composé par Nord Compo Multimédia
7, rue de Fives, 59650 Villeneuve-d'Ascq

Première édition, dépôt légal : mai 2012
Nouveau tirage, dépôt légal : mai 2012
N° d'édition : 17235 – N° d'impression : 111316

Imprimé en France